MAIGRIR

LA MÉTHODE SOS SANTÉ, ÇA MARCHE !

Chantal Lacroix, en collaboration avec Jimmy Sévigny

LES ÉDITIONS LACROIX

> **Courriel :** info@editionslacroix.com

> **Chef culinaire :** Amy Dramilarakis de chez l'Artichaut

> **Styliste culinaire :** Véronique Gagnon-Lalanne

> **Conception et infographie :** TVA Studio

> **Photographies culinaires :** Guy Beaupré, Jean Langevin, Bruno Petrozza et Marco Weber

> **Photographies de Chantal Lacroix et de Jimmy Sévigny :** Bruno Petrozza et Marco Weber

> **Photographies des participants à l'émission *Le Parcours* :** Bruno Petrozza

> **Journaliste :** Marie-Ève Goudreau

> **Collaboratrices :** Laurie Baron, Josée Delisle et Geneviève Paquin

> **Coordonnatrice :** France Duval

ISBN 978-2-9814273-0-4

Dépôt légal - Bibliothèque et Archives nationales du Québec, 2013

Dépôt légal - Bibliothèque et Archives Canada, 2013 Trimestre

Distributeur : Messagerie de Presse Benjamin

Les vêtements sont une gracieuseté d'Arc'Teryx et de Salomon.
Les cardiofréquencemètres sont une gracieuseté de la compagnie Polar.
Merci au centre Multisports de Vaudreuil-Dorion.

Remerciements

Depuis mes débuts comme productrice et animatrice à la télévision en 2005, vous avez été présents dans mes projets. Aujourd'hui, je profite de l'occasion pour vous remercier de votre fidélité et de votre grande générosité. Grâce à vous, mon enthousiasme ne s'est jamais éteint, bien au contraire. Votre soutien, vos conseils et votre affection m'ont poussée à vouloir constamment m'améliorer et à rechercher des façons et des outils pour vous aider à mon tour. Chaque fois que je fais une découverte qui peut contribuer à mieux vivre, à être heureux et en santé, je m'empresse de vous la faire partager. Ce livre en témoigne.

Merci sincèrement à vous ainsi qu'à tous ceux et celles qui ont participé à mes différentes émissions de télé portant sur la santé et le mieux-être. En étant témoins de vos cheminements, de vos processus de remise en forme et des obstacles que vous avez surmontés, nous pouvons offrir un livre encore plus complet sur le sujet. Cet ouvrage vous guidera dans la vie de tous les jours concernant les choix que vous devrez faire par rapport à votre santé.

Chantal Lacroix

Table des matières

Chapitre 1

COMMENT FONCTIONNE VOTRE CORPS?

Chapitre 2

LA VÉRITÉ SUR LES CROYANCES POPULAIRES

Chapitre 3

COMPRENDRE CE QUE VOUS MANGEZ

Chapitre 4

CHRONIQUE ALIMENTAIRE

Chapitre 5

LA MOTIVATION

Chapitre 6

DES MENUS SIMPLES ET EFFICACES POUR MAIGRIR

Table des matières

Table des matières

Chapitre 7

DES PARTICIPANTS SE CONFIENT

Une fois par an, j'écris mes objectifs, mes souhaits et mes rêves pour les 12 prochains mois. Non pas ceux de mes enfants, de mon mari, de mes parents ou de mes amis, LES MIENS ! Perdre quelques kilos, voyager, apprendre à dire non, penser à moi...

Ensuite, je place cette liste bien en vue, de façon à pouvoir la lire tous les matins. Chaque fois que je la parcours, je me dis : « Quelles décisions vais-je prendre aujourd'hui, ou quels seront les choix que je ferai, qui me permettront de respecter mon engagement ? » Je vous garantis qu'une fois que l'engagement est écrit, vos choix au quotidien seront différents.

C'est à vous d'établir VOS objectifs !
Je vous invite donc à les écrire au verso de cette feuille et à signer ce contrat que vous faites avec vous-même.

Osez pousser plus loin l'exercice en lisant vos objectifs et vos rêves à haute voix devant un miroir, lorsque vous serez seul. De cette façon, vous vous engagerez envers la personne la plus importante dans votre vie... VOUS !

Chantal Lacroix

Engagement

**«Ne laissez personne vous éloigner de vos objectifs.
Ils sont trop importants pour vous!»**

DATE:

Je m'engage à :

Signature :

« À partir de cette page, c'est un nouveau départ ! Le mot santé n'aura plus jamais la même signification pour vous. »

Chantal Lacroix

Pour vous simplifier la vie

Depuis 2005, j'ai produit plusieurs émissions, dont *SOS Beauté*, *SOS Santé*, *Mlle court* ainsi que *Le Parcours*, et écrit des livres qui tournaient tous autour du même thème : la perte de poids et le mieux-être. Au fil de ces années, mon équipe et moi avons travaillé à trouver une méthode pour maigrir de façon saine. D'une certaine manière, ce livre s'inspire de la dernière émission que j'ai produite sur le sujet, soit *Le Parcours*.

Bien que les participants aient été encadrés par Jimmy Sévigny pendant plus d'un mois, c'est lorsqu'ils étaient de retour chez eux que la plus grande partie du processus de perte de poids s'est déroulée. La méthode et les moyens qu'on leur avait donnés leur ont permis d'appliquer au quotidien ce que nous leur avions enseigné au cours de l'aventure. C'est pourquoi ce livre contient des recettes « coups de cœur », que certains participants ont adoptées parce qu'elles sont rapides et faciles à faire, et celles des menus qui leur ont été servis tout au long de leur séjour au Centre de villégiature Jouvence.

UNE MÉTHODE RÉALISTE

Nous vivons dans une société où le rythme de vie est de plus en plus rapide. Le quotidien nous impose son lot de responsabilités : travailler, être présent aux réunions du bureau, aller mener et chercher nos enfants à l'école ou à la garderie, les aider aux devoirs, participer aux activités parascolaires, prendre soin de nos parents, de nos amis... Bref, la liste est longue. Et si, malgré tout, on trouve un moment pour investir en soi et s'entraîner, il ne reste plus assez de temps pour cuisiner. Avec un horaire aussi chargé, impossible de suivre des programmes alimentaires rigoureux et qui demandent encore du temps !

Maigrir ; la méthode SOS Santé, ça marche !, a été pensé pour pallier le manque de temps alloué à la préparation des repas. Dans le chapitre 6, vous trouverez diverses recettes de déjeuners, de dîners ou de soupers rapides et faciles à exécuter, ainsi que de desserts et de collations pratiques, efficaces et énergétiques. Donc, peu importe ce que vous choisirez, vous ne pourrez excéder le nombre de calories dont vous avez besoin chaque jour, car tout a été calculé ! Le but de ce livre est de vous simplifier la vie, comme les participants de l'émission *Le Parcours* ont appris à le faire.

DES RÉSULTATS SPECTACULAIRES

Lors de l'émission, j'ai été témoin de pertes de poids impressionnantes ! Ce sont les participants eux-mêmes qui, avec l'encadrement des coachs, se sont imposés des exercices et qui ont choisi leur menu. Ils ont adopté un nouveau mode de vie. Pour moi, il était important que vous puissiez lire leurs témoignages, car je devine déjà les questions que vous vous posez : comment ont-ils fait pour réussir ? Où ont-ils trouvé le temps et la motivation pour s'entraîner alors qu'ils ont un emploi, des enfants, des responsabilités ?

Pour accélérer le processus et pour perdre un maximum de kilos durant un entraînement, outre les bonnes recettes et les bons exercices, il y a des trucs que les experts nous ont dévoilés. C'est en parcourant ces pages que vous les découvrirez. Une chose est certaine : en adoptant les recettes de ce livre et en ayant un mode de vie actif, vous atteindrez vos objectifs !

Choisir de changer !

Vous savez peut-être qu'il y a quelques années, je faisais partie des personnes qui souffraient d'obésité morbide. Mon corps a dû supporter un poids de 452 lb (205 kg); à l'âge de 19 ans, mon cœur a flanché. Aujourd'hui, je suis heureux d'être en vie et d'être en grande forme. C'est donc avec beaucoup d'enthousiasme que j'ai participé à la rédaction de ce livre en tant qu'éducateur physique, mais également en tant qu'« ex-obèse » qui est passé à travers ce processus.

Si j'avais eu cet ouvrage entre les mains durant mon adolescence, j'aurais sûrement moins souffert, physiquement et moralement. Cela m'aurait permis de reprendre le contrôle de ma santé et, du même coup, d'avancer dans la vie. À cette époque, tout me paraissait noir : la vie, l'avenir... Je ne croyais plus en rien et je ne pensais surtout pas que j'allais m'en sortir physiquement. Eh bien, j'avais tort !

J'ai connu des périodes de grand découragement et de profonde solitude, car je faisais tout pour maigrir, mais rien ne fonctionnait. J'essayais tous les régimes dont les gens me parlaient, mais aucun ne donnait de résultat.

Jimmy Sévigny

« J'ai décidé d'être heureux parce que c'est bon pour la santé », disait Voltaire. Moi, j'ai décidé d'être en santé parce que cela me rend heureux !

DE L'ESPOIR !

Je sais avec certitude pour l'avoir expérimentée moi-même, pour avoir suivi et entraîné les participants, que la méthode expliquée dans *Maigrir ; la méthode SOS Santé, ça marche !* en est une qui fonctionne véritablement, car elle a fait ses preuves auprès de centaines de personnes déjà.

Lors de l'émission *Le Parcours*, les participants ont été encadrés de façon très serrée pendant plus d'un mois. Leur plus grand défi a cependant été de continuer leur processus de perte de poids lors de leur retour à la maison. Certains n'avaient pas le goût ou tout simplement pas le temps de cuisiner des recettes. Nous leur avons donc proposé des combinaisons d'aliments très rapides et efficaces que vous retrouverez dans ce livre.

Maintenant, c'est à vous d'utiliser ce livre et de vous approprier cette méthode. En tant qu'éducateur physique, je vous recommande d'y aller à votre rythme, de vous fixer des objectifs réalistes et, surtout, d'y CROIRE. Si elle a fonctionné pour les participants de l'émission et pour moi, elle marchera assurément pour vous, à condition que vous y mettiez les efforts et que vous soyez persévérant.

Je suis convaincu que, peu importe la bande de nuages, le soleil brille toujours. Au fond, ma maladie m'a permis de mettre au point une méthode qui, je l'espère, servira à des milliers de personnes à perdre du poids et, ainsi, à reprendre le contrôle de leur santé. Bon entraînement !

Qui n'a pas rêvé de perdre quelques kilos? En voyant cet ouvrage, certaines personnes pourraient être portées à dire: «Pas encore un autre livre sur les régimes!» Eh bien, en réalité, celui-ci ne traite pas du tout de régimes, il vous propose de modifier vos habitudes de vie afin d'améliorer votre état de santé général.

Contrairement à plusieurs publications offertes sur le marché, *Maigrir ; la méthode SOS Santé, ça marche !* a déjà fait ses preuves auprès de participants des voyages et des camps *SOS Santé* et d'émissions de télé, dont *Le Parcours*. Tous les conseils en entraînement et toutes les recettes santé ont été testés par nos participants, ce qui a donné les résultats que vous connaissez (lire les témoignages au chapitre 7).

Vous découvrirez que la santé peut être de bon goût lorsqu'on décide de s'investir et de changer de vie. En suivant nos recommandations, vous pourrez perdre de 0,5 lb à 3 lb de masse grasse par semaine, tout en préservant votre masse musculaire. Vous devriez ressentir les bénéfices physiques et psychologiques de ce nouveau style de vie après seulement quelques semaines. Bref, en vous procurant cet ouvrage, vous venez d'investir dans la chose la plus importante et la plus précieuse : votre santé.

LE CONCEPT

Le Concept ne vous demande pas de suivre un plan strict, mais seulement de faire les meilleurs choix possibles pour votre santé. En ce qui a trait à l'alimentation, vous aurez le choix des recettes vous convenant le mieux pour vos trois repas.

Pour ce qui est de l'activité physique, essayez de bouger le plus souvent possible. Des petits gestes quotidiens (tels que monter les escaliers au lieu de prendre l'ascenseur, stationner votre véhicule plus loin du lieu où vous faites les courses ou marcher le plus souvent possible) feront toute la différence. Au-delà de la perte énergétique, l'activité physique vous procurera une sensation de bien-être intérieur. Cela vous amènera naturellement à adopter un mode de vie sain et actif et à vous dépasser en tant que personne.

COMMENT UTILISER CE LIVRE ?

Comme nous venons de le mentionner, il n'y a aucun plan à suivre à la lettre. Vous pouvez créer vos menus en choisissant une recette dans chacune des catégories (déjeuner, dîner et souper) et y ajouter une ou des collations, voire un dessert, en tenant compte de votre profil énergétique.

Afin de vous faciliter la tâche et de garder le tout le plus simple possible, nous n'avons pas inclus de formule pour calculer vos besoins énergétiques. Nous nous fions à une moyenne énergétique très fiable. C'est également le nombre de calories que nous avons prescrit dans la plupart de nos émissions. Nous vous recommandons donc de consommer environ 1300 calories par jour si vous êtes une femme, et environ 1500 si vous êtes un homme.

La première semaine, votre perte de poids pourrait être plus grande, car vous perdrez du gras mais également de l'eau. Cette première semaine n'est pas toujours un bon indicateur de votre perte de poids réelle. Toutefois, si durant la deuxième semaine, vous maigrissez de plus de 3 lb, nous vous conseillons d'ajouter une collation ou un dessert afin d'augmenter le nombre de calories que vous ingérez chaque jour. N'oubliez pas d'y aller à votre rythme. Le corps humain est fantastique et il est capable de beaucoup de choses. Toutefois, il a besoin de temps afin de s'adapter à tous les changements d'habitudes de vie que vous lui ferez subir.

Apprenez à faire la sourde oreille aux commentaires négatifs à votre endroit. Au contraire, montrez aux autres que cette fois-ci, c'est la bonne !

Face à l'activité physique, adoptez une bonne attitude ! Au lieu de voir votre entraînement comme une activité pénible, considérez-le comme du temps que vous consacrez à la chose la plus importante pour vous : votre santé !

CHAPITRE 1

COMMENT FONCTIONNE VOTRE CORPS?

LE MÉTABOLISME DE BASE

Lorsqu'on parle du métabolisme de base, on réfère au nombre de calories nécessaires à un être humain pour maintenir ses fonctions vitales, bref pour survivre! Même lorsque vous êtes au repos, votre cœur, vos poumons et vos muscles ont besoin d'énergie. Pour bien fonctionner et être en santé, l'organisme d'une femme a besoin quotidiennement d'environ 1300* calories et celui d'un homme, d'environ 1500* calories. Dès que vous bougez, votre fréquence cardiaque augmente et votre dépense énergétique également.

Pour mesurer la dépense énergétique totale dans votre journée, il existe une formule préétablie: Métabolisme de base (MB) + Dépense énergétique de la journée (DE) = Dépense énergétique totale (DET).

COMMENT PERD-ON DU POIDS?

Une croyance veut qu'on puisse maigrir uniquement en pratiquant une activité physique sur une base régulière, sans modifier son alimentation. Sachez qu'il est possible d'y arriver. Toutefois, sans modifications de vos habitudes alimentaires, les résultats risquent de vous décevoir. On estime généralement que l'alimentation compte pour environ 70 % dans la perte de poids et l'exercice physique, pour 30 %.

Par exemple, selon votre âge et votre poids, effectuer 30 minutes de marche rapide par jour vous permettrait d'éliminer de 200 à 300 calories, soit l'équivalent de l'énergie contenue dans un cornet de crème glacée molle ou un petit morceau de gâteau au chocolat. Étant donné qu'une seule livre de graisse contient 3500 calories, il est peu réaliste de croire que votre poids diminuera de façon exponentielle uniquement en pratiquant un programme de marche rapide ou de jogging (ou toute autre activité)!

Cependant, le fait de bouger vous portera naturellement à faire de meilleurs choix alimentaires, et les changements hormonaux qui s'opèrent durant un entraînement vous aideront à atteindre vos objectifs plus rapidement. Il est extrêmement rare qu'une personne ait envie de consommer de la malbouffe après un entraînement. Le processus est comme une spirale : plus vous ferez de l'exercice, plus vous aurez envie de mieux vous alimenter et de performer.

Comment calculer votre dépense énergétique totale ?

Claire a un métabolisme de base d'environ 1300 calories. Puisqu'elle travaille assise à son bureau, ce qui n'est pas très exigeant physiquement, elle dépense environ de 350 à 450 calories durant le jour. En revanche, le soir, Claire fait 30 minutes de marche rapide, ce qui lui permet d'éliminer environ 200 calories. Dans une journée, sa dépense énergétique totale sera donc approximativement de 600 calories (moyenne).

Si Claire réussit à absorber les 1900 calories dont son organisme a besoin (MB + DE) grâce à l'alimentation, elle aura créé un équilibre. Cependant, si elle n'y parvient pas avec la nourriture, son organisme devra trouver une source d'énergie alternative, soit les réserves de graisses corporelles. C'est de cette façon que l'on perd du poids.

---

*Différents calculs servent à déterminer votre métabolisme de base, qui peut être influencé par divers facteurs tels que votre âge, votre sexe ainsi que votre condition physique. Nous avons décidé d'y aller le plus simplement possible avec des valeurs générales.

LA FRÉQUENCE CARDIAQUE

La fréquence cardiaque correspond au nombre de battements de votre cœur par minute. Chaque personne a une fréquence cardiaque maximale (FC MAX). Afin de la déterminer, il suffit d'effectuer une équation fort simple :

220 – Âge = Fréquence cardiaque maximale (FC MAX).

À QUELLE INTENSITÉ DEVEZ-VOUS VOUS ENTRAÎNER ?

Une chose est claire : si vous augmentez l'intensité durant votre entraînement, votre fréquence cardiaque augmentera aussi. Dans un processus de perte de poids, il est important d'y aller à un rythme soutenu plutôt que de vous époumoner et de vouloir tout abandonner après cinq minutes d'exercice. Pour optimiser l'utilisation de vos réserves de graisses corporelles à l'effort, votre organisme a besoin d'oxygène. Plus votre entraînement sera intense et moins votre corps sera en mesure d'utiliser cet oxygène. Résultat : vos réserves de graisses seront délaissées progressivement pour une source d'énergie plus rapide : vos réserves de glycogène*.

— — — — — — —

*Glycogène : réserves limitées de glucose (sucres) localisées à l'intérieur des muscles et du foie.

LES ZONES D'ENTRAÎNEMENT

Lorsqu'il est question d'optimiser son entraînement, il est important d'y aller en tenant compte des zones. Chacune d'entre elles correspond à un pourcentage de votre fréquence cardiaque maximale (voir explications p. 21).

Nous présentons ici un résumé des cinq zones qui correspondent à votre intensité lorsque vous bougez. Bien que vous puissiez vous entraîner selon les zones en vous fiant aux signaux que vous envoie votre corps (essoufflement, douleurs musculaires, etc.), notez que l'achat d'une montre de type cardiofréquencemètre* de marque POLAR vous serait utile.

ZONE 1 › *de 50 à 60 %* / FC MAX
(ACTIVITÉ FAIBLE/MODÉRÉE)

Si vous n'avez pas fait d'exercice depuis un bon moment, cette zone est idéale pour démarrer un programme de remise en forme. Dans la zone 1, vous pourrez vous entraîner un long moment. Vous ne devriez ressentir aucune douleur ni aucun malaise. Vous serez peu ou pratiquement pas essoufflé et en mesure de tenir une conversation.

ZONE 2 › *de 61 à 70 %* / FC MAX
(ENDURANCE ET UTILISATION DES GRAISSES)

Vous découvrirez votre réelle endurance, soit l'endurance de base. Celle-ci correspond à votre capacité à maintenir un effort de faible à moyenne intensité durant une bonne période de temps. Vous ne devriez éprouver aucune douleur durant vos efforts, et maîtriserez relativement bien votre respiration. Dans une démarche de perte de poids, la zone 2 est appréciable, car vos réserves de graisses corporelles demeurent le principal carburant utilisé durant vos exercices. Par ailleurs, c'est à partir de cette zone que votre corps commencera à ressentir les bienfaits de l'entraînement aérobique.

---

*   Montre cardiofréquencemètre: montre qui indique la fréquence cardiaque ainsi que le nombre de calories dépensées durant l'entraînement.
**   Zone aérobique: zone où votre corps utilise l'oxygène à l'effort.
*** Zone anaérobique: zone où votre corps utilise de moins en moins d'oxygène à l'effort

ZONE 3 › *de 71 à 80 %* / FC MAX (ZONE AÉROBIQUE**)

C'est une zone rentable! En plus d'améliorer votre système respiratoire, vous retirerez tous les bénéfices associés à la santé du cœur. Au fil des semaines et des mois, vos efforts vous paraîtront moins exigeants. Par exemple, si vous étiez habitué de courir 10 kilomètres en 60 minutes, il y a de fortes chances que vous courriez la même distance en moins de temps et en vous sentant moins fatigué à la fin. En zone 3, de légères douleurs musculaires pourraient se faire sentir après plus de 15 minutes d'entraînement, votre respiration sera sans doute difficile mais contrôlable, et maintenir une conversation deviendra plus difficile.

ZONE 4 › *de 81 à 90 %* / FC MAX (ZONE ANAÉROBIQUE***)

Si vous désirez adopter un mode de vie sain et actif sans plus, vous n'aurez probablement jamais à explorer cette zone. Cependant, pour tous ceux et celles qui désirent optimiser leurs performances, la zone 4 aidera leur corps à métaboliser efficacement l'acide lactique (déchets musculaires). De plus, après quelques semaines ou quelques mois d'entraînement, vous devriez être capable de fournir un plus grand effort sur une période de temps plus longue, tout en maintenant une fréquence cardiaque plus basse. Vous risquerez de ressentir des douleurs musculaires, votre respiration sera plus bruyante et tenir une conversation deviendra très laborieux.

ZONE 5 › *de 91 à 100 %* / FC MAX (EFFORT MAXIMUM)

Cette zone est recommandée uniquement aux sportifs qui poursuivent un but bien précis : performer! Si vous souhaitez atteindre un certain niveau de performance et que vous êtes expérimenté, la zone 5 est appropriée. Les temps d'entraînement sont très courts et souvent espacés par de longues périodes de repos actif (par exemple 15 secondes de vélo en zone 5 suivies de 3 minutes en zone 2). Des douleurs musculaires assez intenses pourraient se manifester, votre respiration sera souvent en mode «perte de contrôle», et il vous sera impossible de tenir une conversation.

À retenir

Lorsque j'entraîne des gens, afin d'optimiser la perte de poids, je demande à nos participants de faire la majeure partie de leur entraînement en zone 2 et 3 : ainsi, ils éliminent un maximum de graisses sans baisse d'énergie marquée.
-Jimmy

LES ADAPTATIONS PHYSIOLOGIQUES DU CORPS DURANT UN EFFORT

En entreprenant seul ou avec d'autres personnes un programme d'activité physique, vous réaliserez que la dépense énergétique associée à cet exercice n'est qu'un des avantages que vous en retirerez. Non seulement vous perdrez du poids, mais votre corps subira plusieurs changements bénéfiques. Regardons cela de plus près.

LE FACTEUR PHYSIQUE

Lorsque vous vous entraînez, vous contribuez à la bonne santé de votre ossature , car la pression continuelle de l'exercice sur vos articulations freine la dégénérescence osseuse. Vous augmenterez ou conserverez également votre tonus musculaire et votre cœur sera plus performant. En général, les personnes qui bougent et les sportifs ont une meilleure circulation sanguine, car à chaque battement, le cœur fait mieux circuler le sang .

L'ASPECT HORMONAL

Vous êtes-vous déjà demandé pourquoi vous n'aviez pas faim après un entraînement ? Cette situation est due, en bonne partie, aux hormones. Il en existe deux principales qui régularisent la faim : le peptide YY qui coupe l'appétit et la ghréline qui le stimule. Une étude récente de l'*American Journal of Physiology* a démontré que pratiquer une activité physique de type cardiovasculaire pendant 60 minutes provoque une diminution significative du taux de ghréline et une augmentation de celui du peptide YY. De plus, des recherches expliquent que les personnes qui s'entraînent pendant une longue période évitent les rages de sucre souvent causées par les fatigues de l'après-midi.

---

*Anxiolytique: substance qui a un effet anti-anxiété.

Par ailleurs, lorsque vous vous adonnez à une activité de type cardiovasculaire, votre cerveau sécrète des endorphines. Ces hormones agissent comme un anxiolytique* sur votre organisme : elles abaissent le taux d'anxiété et ont un effet antifatigue naturel. C'est bien connu : les personnes qui font de l'exercice régulièrement présentent normalement un niveau d'énergie beaucoup plus élevé.

L'ASPECT MENTAL

Les personnes souffrant d'anxiété ont tout intérêt à bouger si elles veulent améliorer leur état de santé mentale. Trente minutes d'activité physique ont un effet immédiat sur le niveau d'anxiété. Les personnes qui font de l'exercice géreraient mieux le stress. Finalement, selon des recherches en cours, pratiquer une activité physique pendant une longue période améliorerait généralement l'humeur et la qualité du sommeil. Cela permet d'optimiser la journée du lendemain.

L'importance de bien s'hydrater

Comme nous le verrons dans le chapitre 3 sur les nutriments, les substances contenues dans l'organisme doivent être transportées à travers le corps, et les déchets toxiques, éliminés. L'eau que vous buvez chaque jour favorise une meilleure circulation de ces éléments. Il n'y a pas que l'été ou durant les canicules qu'il faut boire une bonne quantité d'eau, le corps en a besoin en permanence. Le corps humain est composé d'eau . Bien s'hydrater se révèle donc plus qu'important, parce que cela permet de refaire les réserves hydriques. Idéalement, nous devrions boire de 1,5 à 2 L par jour et ajouter de 750 ml à 1 L d'eau pour chaque heure d'activité physique effectuée.

Les trucs du coach

Bien que la tentation de consommer des jus sucrés, des boissons gazeuses ou du café soit grande lorsque vous êtes déshydraté, l'eau demeure votre plus fidèle alliée dans un processus de perte de poids ou de remise en forme.

DURANT L'ENTRAÎNEMENT PHYSIQUE

Tel qu'on l'a mentionné, dans certaines situations, il faut augmenter notre consommation d'eau. Par exemple, une grossesse, la pratique d'un sport ou l'entraînement physique constituent autant de situations exigeant que l'on en boive davantage.
Il ne faut pas attendre que la soif se manifeste. La sensation de soif que vous ressentez durant un entraînement est déclenchée par des signaux que votre cerveau vous envoie, ce qui signifie que vous êtes déjà en manque d'eau. Sachez qu'une déshydratation de 2 % provoque une diminution des capacités physiques de 20 %. La solution : boire de petites doses régulièrement.

Ne faites jamais vos emplettes à l'épicerie le ventre vide, car vous augmentez de façon considérable la tentation d'acheter des aliments riches et néfastes pour votre processus de perte de poids.

CHAPITRE 2

LA VÉRITÉ SUR LES CROYANCES POPULAIRES

10 croyances
À PROPOS DE L'ENTRAÎNEMENT

Qui dit bouger, dit automatiquement mythe en entraînement. Afin d'amorcer votre virage santé, vous devez être bien informé sur le sujet. Vous avez sans doute déjà entendu dire que tel exercice faisait perdre du « ventre » ou que la génétique était la principale responsable des problèmes de poids. Vous découvrirez que certains faits allégués cachent parfois une tout autre vérité. Bonne lecture !

LA MUSCULATION FAIT GROSSIR LES MUSCLES ET, DONC, FAIT PRENDRE DU POIDS.

Demi-vérité :

Il est en effet possible que le pèse-personne affiche quelques kilos de plus si on a travaillé très fort et soulevé de lourdes charges. Toutefois, la grande majorité des gens ne se rend pas à cette étape de musculation avancée. La plupart des femmes évitent de faire de la musculation par peur de voir leurs muscles grossir.

› En fait, en suivant un programme adapté qui vise l'endurance musculaire, vous seriez en mesure d'augmenter votre dépense énergétique, d'améliorer votre tonus musculaire et, en fin de compte… de maigrir davantage. Tout au long du processus de l'émission, les participants du *Parcours* devaient exécuter des exercices de musculation.

POUR RESSENTIR LES BIENFAITS DE L'ACTIVITÉ PHYSIQUE, IL FAUT S'ENTRAÎNER DE FAÇON INTENSE.

Faux :
Il a été prouvé qu'une activité physique d'intensité moyenne effectuée pendant une courte période pouvait être bénéfique de façon quasi instantanée, tant pour votre moral que pour votre corps.

› Si votre but est de perdre du poids tout en améliorant vos capacités cardiovasculaires, nous vous suggérons d'utiliser les intervalles. Cette technique consiste à fournir un effort d'intensité moyenne pendant une certaine période puis d'augmenter l'intensité pendant une autre période. Pour chaque intervalle de 2 minutes, marchez normalement pendant 1 minute 30 secondes, et augmentez la cadence pendant 30 secondes. Répétez l'exercice de 10 à 15 fois.

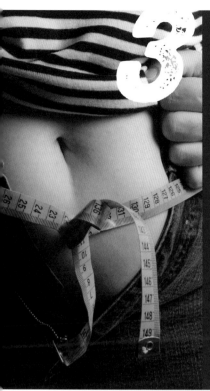

3 IL EST POSSIBLE DE PERDRE DE LA GRAISSE DE FAÇON LOCALISÉE.

Faux : Le corps humain est bien fait, lorsqu'il a besoin d'aller puiser dans les réserves de graisse, il le fait de façon uniforme, c'est-à-dire dans tout votre corps. Les dépôts graisseux ont tendance à se localiser au niveau de l'abdomen, des hanches et des cuisses. Il est donc normal d'avoir l'impression que les gens qui sont en train de maigrir perdent plus de poids dans ces parties du corps. Perdre 10 % de graisse se remarquera assurément plus au niveau de l'abdomen que dans l'avant-bras, car il y en a généralement moins en réserve à cet endroit-là.

4 SI ON NE BOUGE PAS AU MOINS TROIS FOIS PAR SEMAINE, CELA NE SERT ABSOLUMENT À RIEN.

Faux : Lorsqu'il est question d'activité physique, un peu vaut mieux que pas du tout. Bougez à chaque occasion qui se présente. Bien qu'il soit recommandé de s'entraîner au minimum trois ou quatre fois par semaine pour en tirer un maximum de bénéfices, entreprendre une grande marche d'une heure portera également des fruits. Vous brûlerez des calories et tonifierez la plupart de vos muscles, tout en vous oxygénant. De plus, chaque précieuse minute que vous investirez dans votre santé en vous activant vous empêchera de penser à votre garde-manger.

5 LA DÉPENSE ÉNERGÉTIQUE LIÉE À L'ENTRAÎNEMENT PERMET DE MANGER PRATIQUEMENT N'IMPORTE QUOI TOUT EN GARDANT UN POIDS STABLE.

Faux : Si vous êtes de cette école de pensée, sachez que la dépense énergétique lors d'un entraînement ne suffit généralement pas, à elle seule, à éliminer des kilos. Un entraînement d'intensité moyenne pratiqué pendant 60 minutes vous permettra de brûler de 400 à 700 calories. Si après la séance d'exercice, vous comblez votre faim avec un cornet de crème glacée, une barre de chocolat, plusieurs fruits ou un paquet de noix mélangées, il y a fort à parier que vous aurez repris presque toutes les calories perdues.

› Toutefois, l'activité physique vous aidera sûrement à mieux contrôler votre appétit, à faire de meilleurs choix santé et à avoir une meilleure estime de vous-même. Bref, combiner l'entraînement et une alimentation équilibrée se révèle nécessaire pour que la perte de poids reste saine et durable.

6 IL EST IMPORTANT DE S'ÉTIRER AVANT ET APRÈS L'ENTRAÎNEMENT.

Faux : C'est ce qu'on a pensé durant plus de 50 ans ! Toutefois, depuis une quinzaine d'années, différentes études ont été effectuées sur ce sujet. On s'entend maintenant pour affirmer que les étirements avant un entraînement ne diminuent aucunement les risques de blessures. Par ailleurs, ils pourraient même nuire à vos performances, en obturant des vaisseaux qui traversent les muscles et en perturbant votre coordination.

› Cependant, après un entraînement, il est conseillé de s'étirer afin de favoriser un retour au calme et d'augmenter la souplesse. Que devez-vous faire alors avant l'entraînement ? Il est important de vous échauffer et d'activer vos muscles avant votre effort principal. Par exemple, avant une séance de musculation, de 8 à 12 minutes d'exercice d'intensité modérée cardiovasculaire feront l'affaire.

7 POUR OPTIMISER L'ENTRAÎNEMENT ET, DU MÊME COUP, LA PERTE DE POIDS, IL EST PRÉFÉRABLE DE LE FAIRE LE MATIN.

Demi-vérité : En tant que coach, je serais porté à vous dire que le meilleur moment est celui qui vous convient. Par contre, les recherches démontrent que le corps humain atteint normalement son niveau maximal de performance entre 8 h et 10 h. Cela serait dû au fait qu'on est frais et dispos, sans ressentir le poids du stress et de la fatigue accumulés après une journée.

8 À PARTIR DE 50 ANS, S'ENTRAÎNER NE VAUT PLUS LA PEINE.

Faux : En fait, les quinquagénaires auraient intérêt à miser sur un entraînement cardiovasculaire et musculaire. Du point de vue physiologique, on considère que la fleur de l'âge se situe entre 25 ans et 30 ans. Si vous n'entreprenez aucune activité physique les années suivantes, vos paramètres physiques diminueront. En effet, votre métabolisme de base tout comme votre masse osseuse diminueront et vos muscles commenceront à s'atrophier. Le fait de faire de l'exercice de type cardiovasculaire et de suivre un programme de musculation permettra de conserver, voire d'optimiser, votre état de santé.

« *Il n'y a aucun médicament, pilule ou supplément, en usage ou en préparation, qui renferme autant de promesses de santé qu'un programme d'activité physique soutenu.* »

— WALTER M. BORTZ, MD

9

POUR PERDRE DU POIDS, L'ENTRAÎNEMENT DE TYPE CARDIOVASCULAIRE EST PRÉFÉRABLE À LA MUSCULATION.

Faux : Sur le coup, il est certain qu'un entraînement de type cardiovasculaire génèrera une dépense plus importante de calories. Par contre, les impacts énergétiques de la musculation peuvent durer jusqu'à 48 heures après votre séance d'exercice. De plus, faire de la musculation vous permettra de tonifier vos muscles, de solliciter plus de fibres motrices à l'effort, de diminuer les risques de blessure et, par conséquent, de brûler plus de calories.

› Bref, lorsque vous entendrez des allégations relatives à l'activité physique et à l'entraînement qui vous semblent plutôt discutables, assurez-vous toujours de vérifier leur véracité auprès de spécialistes dont les connaissances sont à jour dans ce domaine.

10

S'IL N'Y A PAS DE SUDATION PENDANT L'EFFORT PHYSIQUE, C'EST QUE L'ENTRAÎNEMENT N'EST PAS ASSEZ INTENSE.

Faux : La sudation est un mécanisme physiologique servant à tempérer le corps. Si, par un frisquet matin d'automne, vous vous entraînez de façon modérée vêtu d'un chandail léger, il est normal que celui-ci ne soit pas imbibé de sueur. En effet, votre corps n'a pas besoin de provoquer ce phénomène. D'un autre côté, vous vous mettrez fort probablement à suer lors d'une chaude journée d'été, même en ne faisant pratiquement rien. Cela ne signifie pas que vous brûlez plus de calories pour autant.

Les trucs du coach

Vous n'aimez pas faire du sport ? Optez alors pour l'activité physique ! Troquez l'ascenseur pour les escaliers et stationnez votre automobile loin de la porte d'entrée de votre lieu de travail. Tous ces petits changements vous mèneront à de grands résultats !

10 croyances
À PROPOS DE L'ALIMENTATION

Dans le domaine de la nutrition, les croyances sont parfois bien ancrées dans notre subconscient et nous empêchent de différencier ce qui est bon et mauvais pour notre santé.

1 ON PEUT MANGER DES FRUITS À VOLONTÉ SANS PRENDRE DE POIDS.

Faux :

Certes, les fruits font partie d'une alimentation saine, car ils sont une source de vitamines, de fibres, d'antioxydants et de plusieurs éléments protecteurs. Cependant, il est important d'en manger de façon raisonnable. Certains contiennent plus de sucre que d'autres et tous ne contiennent pas le même nombre de calories. Une trop grande consommation de fruits peut, au contraire, provoquer un gain de poids.

2 LA MARGARINE EST MEILLEURE POUR LA SANTÉ QUE LE BEURRE.

Demi-vérité : Du point de vue purement énergétique, le beurre et la margarine s'équivalent. Ces deux produits sont composés à plus de 80 % de gras. Le beurre contient des gras saturés et insaturés, ainsi que du cholestérol ; il est donc à proscrire pour tous ceux et celles qui sont aux prises avec des problèmes d'hypercholestérolémie. Quant aux margarines, elles sont aujourd'hui pour la plupart non hydrogénées et faibles en gras. Toutefois, dans la grande majorité des cas, elles sont composées de beaucoup plus d'ingrédients que n'en contient le beurre, ce qui en fait un choix moins « naturel ».

› Bref, que vous consommiez du beurre ou de la margarine, modérez-en la quantité.

UNE MARGARINE 100 % NATURELLE
Versez 250 ml (1 tasse) d'huile d'olive dans un récipient hermétique et placez-le au réfrigérateur. L'huile durcira et ressemblera à de la margarine. Une fois votre repas terminé, replacez le contenant dans le réfrigérateur.

3 UN ÉDULCORANT DE SYNTHÈSE EST MEILLEUR POUR LA SANTÉ QUE DU SUCRE NATUREL.

Demi-vérité : Les personnes désirant maigrir vont réduire leur consommation de sucre. Elles se tournent alors généralement vers un édulcorant de synthèse, ce qui est une bonne chose en soi pour diminuer les calories. Cependant, en croyant qu'un tel édulcorant n'influe aucunement sur leur poids, elles en consomment beaucoup et développent une dépendance à des aliments de plus en plus sucrés. Il serait plus avisé de privilégier de petites quantités de sucre plutôt qu'une grande quantité d'édulcorant de synthèse.

› Lorsqu'il est intégré à une alimentation saine et consommé de manière raisonnable, un édulcorant de synthèse peut être une solution envisageable. Ceux qu'on trouve sur le marché proviennent de sources différentes, mais il est préférable de privilégier les édulcorants qui proviennent du sucre lui-même, tel le sucralose (SPLENDA®).

4 CERTAINES COMBINAISONS ALIMENTAIRES FONT ENGRAISSER, ALORS QUE LES MÊMES ALIMENTS PRIS SÉPARÉMENT NE FONT PAS GROSSIR.

Faux : Le mythe entourant les combinaisons alimentaires persiste. Qui n'a jamais entendu dire : « Ne mangez pas de pain avec des pommes de terre » ou « Ne mangez pas de pain avec des pâtes » ? En réalité, c'est la qualité et le nombre total de calories ingérées qui comptent. Il est certain que si vous commandez des fettucinis carbonara au restaurant et que vous les dégustez avec une demi-baguette de pain, le total de calories risque d'avoisiner les 2000. Par ailleurs, une salade César accompagnée d'un gratin de légumes constituera un repas tout aussi calorique. Au bout du compte, privilégiez une alimentation variée en vous assurant de diminuer vos portions (consultez nos recettes proposées au chapitre 6).

5 LE PAMPLEMOUSSE FAIT FONDRE LES GRAISSES.

Faux : Pour que cela soit vrai, il faudrait que le pamplemousse contienne une enzyme capable de dissoudre le gras. Plusieurs personnes ayant expérimenté des régimes à base de pamplemousse ont effectivement maigri, mais cette perte de poids est souvent due à une fonte musculaire, résultat d'un apport en protéines insuffisant. En outre, le fait que ce régime est monotone porte à manger de moins en moins. Aussi, dès la fin du régime, reprend-on les quelques kilos perdus.

6

LE THÉ VERT AIDE À MAIGRIR.

Demi-vérité : **En fait, le thé vert contient de la caféine, ce qui vous permet d'augmenter votre vigilance, de conserver votre concentration et de retarder l'effet de fatigue quand vous vous entraînez. Les composés chimiques du thé vert possèderaient également certaines vertus qui amélioreraient le processus de perte de poids. Quoi qu'il en soit, les antioxydants contenus dans cet aliment en font une boisson incontournable pour quiconque désire optimiser son état de santé.**

Truc : **Recherchez du thé vert de qualité, en feuilles que vous infuserez.**

7

LES LÉGUMES QUI ONT CUIT TROP LONGTEMPS PERDENT BEAUCOUP DE LEURS VITAMINES ET ANTIOXYDANTS, DONC UNE BONNE PARTIE DE LEUR VALEUR NUTRITIONNELLE.

Vrai : Pour conserver la valeur nutritionnelle des légumes, il faut les faire cuire le temps nécessaire pour qu'ils deviennent tendres, mais pas mous. Si vous les faites bouillir, ajoutez les légumes dans l'eau préalablement chauffée. Ainsi, ils seront immergés moins longtemps. Vous pouvez également les braiser ou les faire sauter. Si vous les aimez frits, utilisez des huiles contenant des gras qui sont bons pour la santé, des gras mono-insaturés ou polyinsaturés, comme l'huile d'olive, de canola et/ou d'arachide. Coupez les légumes en petits morceaux ou en tranches fines pour les frire rapidement dans un poêlon.

Truc : Pour préparer vos légumes sans corps gras, utilisez une marguerite et faites-les cuire à la vapeur. Ils conserveront plus de goût que s'ils sont plongés dans l'eau.

8 MANGER UNE BANANE, C'EST COMME MANGER UN STEAK.

Faux : Ce mythe découle sans doute du fait que la banane est un fruit énergétique et consistant et qu'elle peut satisfaire efficacement l'appétit, tout comme un steak! Cela dit, ces deux aliments ne peuvent présenter une valeur nutritionnelle équivalente, car ils appartiennent à des groupes alimentaires différents. La seule chose que la banane et le steak ont en commun, c'est d'offrir, à portion égale, une quantité de potassium très similaire. Ils possèdent des propriétés distinctes: la banane contient principalement des glucides alors que le steak contient des protéines, mais aucun glucide. La viande présente un taux beaucoup plus élevé de zinc et de fer que la banane, mais celle-ci est beaucoup moins grasse et contient des fibres.

› Ce qu'il faut retenir, c'est que l'un n'est pas nécessairement mieux que l'autre: chacun joue un rôle distinct dans le maintien de notre santé.

BANANE = GLUCIDES (ÉNERGIE)

**STEAK = PROTÉINES
(RÉPARATION DES TISSUS MUSCULAIRES)**

9 LE SIROP D'ÉRABLE, LE SIROP D'AGAVE AINSI QUE LA MÉLASSE DEMEURENT DES ALIMENTS PLUS SANTÉ QUE LE SUCRE BLANC RAFFINÉ.

Vrai, mais… : Bien que les sucres dits naturels ou bruts (sirop d'érable, miel et mélasse) soient plus bénéfiques pour la santé que du sucre blanc, du sucre demeure du sucre! Le fait de remplacer le sucre blanc raffiné par du sirop d'érable sera certes meilleur pour votre santé, mais sachez que les deux contiennent approximativement le même nombre de calories. Conclusion? Dans un processus de perte de poids, consommez-en avec parcimonie.

10 POUR MAIGRIR, IL NE FAUT PAS DÉPASSER 1000 CALORIES PAR JOUR ET MANGER UN OU DEUX REPAS MAXIMUM.

Faux : Il est important de respecter vos signaux de faim en vous assurant de prendre au moins trois repas par jour, composés de produits sains et nutritifs. Il est prouvé qu'en dessous de 1100 calories par jour, le métabolisme tourne au ralenti. Il vous serait donc difficile de poursuivre votre processus de perte de poids. Plus vous priverez votre corps et plus grand sera le risque de reprendre les kilos perdus, voire d'augmenter votre poids! Écoutez votre corps et les signaux de faim qu'il vous envoie.

Vous avez le droit de ne pas finir votre assiette. Si vous n'avez plus faim, ne vous forcez pas. Assurez-vous seulement de ne pas en profiter pour grignoter davantage le soir, sous prétexte que vous n'avez pas mangé tout votre repas.

CHAPITRE 3

COMPRENDRE
CE QUE
VOUS MANGEZ

LES NUTRIMENTS

Quand on a une bonne idée de ce que l'on mange, il est plus facile de bien s'alimenter. D'une façon simpliste, nous pourrions même citer l'adage: «On est ce que l'on mange». Afin d'augmenter votre niveau de santé physique, vous devez consommer des aliments nutritifs qui vous permettront d'optimiser votre processus de perte de poids. Les nutriments, en plus d'être nécessaires à la croissance, contribuent au bon fonctionnement du système digestif, à la santé de la peau et aux autres processus vitaux. Les nutriments se répartissent en six catégories: les glucides, les lipides, les protéines, l'eau, les vitamines et les sels minéraux.

À noter

DE TOUS LES NUTRIMENTS, SEULS LES PROTÉINES, LES GLUCIDES ET LES LIPIDES APPORTENT DE L'ÉNERGIE AU CORPS.

1 gramme de glucides	=	4 calories
1 gramme de protéines	=	4 calories
1 gramme de lipides	=	9 calories
1 gramme d'alcool	=	7 calories

LES GLUCIDES (SUCRES)

Les glucides, aussi appelés hydrates de carbone, agissent principalement comme « fournisseurs » d'énergie de votre organisme. C'est dans les glucides qu'on retrouve les fibres alimentaires. Celles-ci vous aideront à optimiser votre santé cardiovasculaire et à diminuer les risques de constipation et de certains types de cancers.

Beaucoup de gens croient à tort qu'il faut bannir toutes les sortes de glucides lors d'un processus de perte de poids, mais on ne doit pas les éliminer, car le cerveau se nourrit de glucides ! Il est en effet recommandé de limiter (tout en gardant un équilibre dans vos menus) votre consommation de glucides rapides. Toutefois, les glucides lents, eux, devraient toujours figurer dans votre alimentation de tous les jours. Pâtes alimentaires, pain, légumineuses, lait, yogourt, fruits, jus, miel ne sont que quelques-uns des aliments qui en contiennent.

SUCRES RAPIDES (À LIMITER)	SUCRES LENTS (À PRIVILÉGIER)
Pain de farine blanche enrichie	Pain de blé entier
Pâtes de farine blanche enrichie	Pâtes de blé entier
Riz blanc	Riz brun
Pommes de terre en purée	La plupart des légumes
Chocolat et bonbons	Légumineuses
Boissons gazeuses	Lait et boisson de soya

Les trucs du coach

Limitez votre consommation d'alcool. En plus de stimuler l'appétit, il peut contrarier votre volonté et ébranler vos résolutions.

LES LIPIDES

Les lipides sont riches en calories (9 calories pour 1 gramme), mais tout de même nécessaires au bon fonctionnement de l'organisme. Ils servent, entre autres, à transporter des vitamines liposolubles* (A, D, E et K) dans le corps. Ils font partie des constituants qui forment les membranes cellulaires et ils remplissent un rôle important dans la synthèse de certaines substances, comme les hormones.

Lorsqu'ils sont consommés de façon raisonnable, les lipides vous permettent d'être en forme, puisqu'ils constituent une réserve d'énergie pour votre organisme. De plus, certains types de lipides, par exemple les oméga-3, sont des acides gras essentiels qui vous protègent des maladies cardiovasculaires et favorisent le bon fonctionnement du système nerveux. On trouve les lipides dans des aliments très variés : les huiles, le beurre ou la margarine, la viande, le poisson, les œufs, les produits laitiers, les noix et les graines.

Sources d'oméga-3

Hareng

Saumon de l'Atlantique

Maquereau

Graines de lin moulues

Huile de lin

Huile de noix

Œufs oméga-3

Le saviez-vous ?

Les filets de saumons congelés sans peau ne contiennent que peu ou pas d'oméga-3. En effet, ces derniers sont localisés entre la peau et la chair des poissons gras (substance grisâtre).

Intéressant à savoir !

Vous est-il déjà arrivé de trouver à l'épicerie un paquet de croustilles sur lequel il est mentionné : sans cholestérol ? Cela est tout à fait normal : le cholestérol est présent uniquement dans les gras d'origine animale. Tous ceux et celles qui sont aux prises avec des problèmes de cholestérol ont intérêt à limiter leur consommation de gras animal.

---

* Vitamines qui nécessitent un apport en matières grasses afin d'être absorbées.

LES PROTÉINES (OU PROTIDES)

Sans elles, nous ne pourrions vivre bien longtemps. Elles représentent la seule source d'azote, un élément chimique indispensable à la vie. Elles sont essentielles à la formation du fœtus ainsi qu'à la croissance des jeunes enfants et des adolescents. En outre, elles participent quotidiennement au renouvellement des cellules de la peau, des ongles, des cheveux et des tissus musculaires. Elles représentent également une bonne défense contre plusieurs maladies. Parmi les aliments riches en protéines, certains sont d'origine animale (viandes, poissons, crustacés, mollusques et œufs), d'autres, d'origine végétale (céréales, fèves de soya, pois, lentilles et haricots).

Les protéines procurent une sensation de satiété qui dure plus longtemps que lorsqu'on consomme des glucides. C'est pourquoi il est avantageux de combiner ces deux nutriments dans une collation : les glucides combleront vos besoins immédiats (vous serez rassasié) et les protéines vous donneront un sentiment de satiété (vous n'aurez pas faim jusqu'au prochain repas).

Les trucs du coach

Si vous désirez acheter des aliments frais à l'épicerie, faites votre marché « en L », c'est-à-dire en longeant les allées le long des murs, et en négligeant celles du centre ; c'est souvent là que sont placés les produits industrialisés riches en calories.

Ne sautez pas de repas !
Vous ingérerez assurément
beaucoup plus de calories à votre
prochain repas et, du même coup,
vous prendrez quelques kilos.

CHAPITRE 4

CHRONIQUE ALIMENTAIRE

Au restaurant: CALORIES CACHÉES AU MENU

Avec la vie active qu'on mène aujourd'hui, il peut devenir difficile de toujours consommer des aliments frais qu'on a pris le temps de préparer soigneusement dans le confort de notre foyer. Opter pour un repas de restauration rapide est souvent une tentation qui nous guette.

Le problème, c'est qu'il règne encore une confusion, car bon nombre de plats contiennent en fait des calories cachées. Qui peut croire qu'une salade César puisse renfermer jusqu'à 1500 calories? qu'un morceau de gâteau au fromage avec son coulis en contienne parfois 1100? C'est pourtant le cas lorsqu'on nous sert ces plats dans bien des restaurants!

Afin de vous aider dans votre processus de perte de poids, nous vous proposons ici des choix éclairés et plus sains que vous pouvez faire dans la plupart des établissements servant de la nourriture. À cet effet, nous avons dressé une liste de ce qui est à privilégier et de ce qui est à limiter lorsque vous mangez à l'extérieur de la maison.

Les restaurants asiatiques

Sautés, *pad thaï* et rouleaux de printemps ne sont là que quelques noms de mets qui vous font saliver? Vu la popularité de plus en plus grandissante des restaurants asiatiques et la présence de légumes dans la plupart de leurs plats, on pourrait facilement croire que tout ce qui y est servi est santé. Ce n'est toutefois pas nécessairement le cas. Voyons cela de plus près!

♥ ON ADORE	💣 ON FAIT ATTENTION
> la soupe tonkinoise	> au lait de coco
> les rouleaux de printemps, sans sauce	> à la friture
> les sautés de légumes avec poulet ou crevettes	> au riz frit et aux nouilles frites
> le chow mein	> aux arachides et aux cajous
> la sauce aux prunes*	> à la sauce aux arachides pour les plats principaux*

* La sauce aux arachides pour les rouleaux de printemps contient en moyenne 200 kcal et 17 g de gras pour 60 ml (2 oz). Pour la même quantité, la sauce aux prunes contient 100 kcal et moins de 1 g de gras.

QUE DEVEZ-VOUS CHOISIR?

⭐ DRAPEAU VERT	☠ DRAPEAU ROUGE
Une soupe orientale de poulet et nouilles grand format Total: 380 kcal	Un plat de poulet général Tao, avec l'équivalent de deux tasses de riz blanc Total: 1074 kcal
Deux tasses de chow mein au poulet Total: 400 kcal	Du riz frit au poulet et cajous Total: 1380 kcal
Deux rouleaux de printemps aux crevettes, sans sauce Total: 380 kcal	Un *pad thaï* au poulet Total: 810 kcal

ASTUCES

> Commandez moitié moins de riz ou de vermicelles et double portion de légumes.

> Demandez à ce que votre plat soit cuisiné avec moins d'huile (pour ce qui est cuit dans un wok).

Les rôtisseries

Qui n'a jamais mis les pieds dans ce type d'établissement? Les rôtisseries font partie du paysage québécois depuis bien longtemps et elles ne sont pas sur le point de disparaître! Regardons plus attentivement le menu de ce genre de restaurant.

♥ ON ADORE	💣 ON FAIT ATTENTION
> la poitrine de poulet sans la peau > les salades avec des viandes grillées, avec la sauce à part > les portions modérées / demi-portions > les légumes en accompagnement	> à la friture > à l'abus de sel > à la sauce barbecue > aux desserts trop riches

QUE DEVEZ-VOUS CHOISIR?

★ DRAPEAU VERT	☠ DRAPEAU ROUGE
Une brochette de poulet, avec légumes Total: 400 kcal	Une poutine au poulet Total: 1060 kcal
Une demi-portion de salade de tendre de poulet (395 kcal) + 15 ml de vinaigrette balsamique (35 kcal) Total: 430 kcal	Des côtes levées, avec salade de chou, pain grillé, sauce barbecue et frites Total: 1390 kcal
Un demi-club sandwich, sans mayonnaise Total: 340 kcal	Un quart de poulet poitrine, avec salade de chou, pain grillé et sauce barbecue Total: 1190 kcal
	Un dessert de type fondant ou volcan au chocolat Total: 935 kcal

À NOTER:

La majorité des plats contiennent une quantité excessive de sel. Particulièrement le riz, en raison de la base de poulet, riche en sodium, qui est ajoutée.

ASTUCE

> Certaines rôtisseries offrent un comptoir à salades. Cette option peut constituer un choix avisé si vous désirez en manger une, car beaucoup de salades repas contiennent plus de 800 calories à elles seules. Si vous désirez en commander une, demandez la vinaigrette à part. Cela vous permettra de contrôler votre apport en calories.

Les restaurants italiens

Arômes de tomates, de basilic, de pizzas et de pâtes fraîches... Pas de doute, vous voilà bel et bien dans un restaurant italien! En dépit du fait que cette cuisine soit composée particulièrement de glucides (pâtes et pain), il est possible de faire des choix éclairés.

♥ ON ADORE

> la croûte mince
> la croûte multigrain
> les pâtes multigrains
> les sauces à base de tomates
> les sauces à base de viande

ON FAIT ATTENTION

> aux sauces à base de crème
> aux croûtes farcies
> à la friture
> aux charcuteries grasses (salami, pepperoni, saucisses)
> aux croûtes et pâtes faites de farine blanche
> à tout plat combinant friture et fromage et qui est habituellement servi avec des pâtes (par exemple: le veau parmigiana)

QUE DEVEZ-VOUS CHOISIR?

★ DRAPEAU VERT	☠ DRAPEAU ROUGE
Une demi-portion de pennes à l'arrabiata (pâtes multigrains) (285 kcal) + une soupe noce à l'italienne (80 kcal) Total: 365 kcal	Une lasagne individuelle de format moyen Total: 940 kcal
Une soupe poulet et nouilles (50 kcal) + trois quarts de pizza végétarienne de 6 po (345 kcal) Total: 395 kcal	Une pizza toute garnie de 9 po Total: 1120 kcal
Une demi-portion de plat de saumon rôti, avec riz et légumes Total: 315 kcal	Des coquilles à la saucisse italienne Total: 1130 kcal
	Des tortellinis à la sauce rosée Total: 1160 kcal

ASTUCES

> Lorsque vous commandez une salade, demandez à ce qu'on vous serve la vinaigrette à part.
> Optez pour la pizza de 6 po au lieu de celle de 9 po! Un petit truc qui vous évitera 50 % de calories supplémentaires!
> Spécifiez que vous désirez des portions modérées.
> Demandez à ce qu'on limite la quantité de sauce versée sur vos pâtes.

Les restos servant des sous-marins

Considéré depuis plusieurs années comme le type de mets de restauration rapide le plus sain, le sous-marin a la cote. Cela dit, si vous désirez conserver l'aspect santé de votre repas, vous devez faire des choix judicieux.

♥ ON ADORE

> les viandes maigres: dinde, jambon, poulet et rosbif
> le pain de blé entier
> les sous-marins de 6 po et moins
> les sauces comme moutarde au miel ou moutarde, les vinaigrettes légères ou sans gras
> les soupes claires

💣 ON FAIT ATTENTION

> aux viandes grasses: salami, pepperoni, côtes levées, bacon et boulettes de viande
À noter: Les sous-marins au thon sont également déconseillés, car ils contiennent souvent beaucoup de mayonnaise.

> au pain blanc
> aux sous-marins de 7 po et plus
> aux sauces comme ranch, mayonnaise ou la sauce maison
> aux croustilles

QUE DEVEZ-VOUS CHOISIR?

★ DRAPEAU VERT	DRAPEAU ROUGE
Le sandwich de 6 po à la dinde, sur pain de blé (280 kcal) + sauce moutarde au miel (30 kcal) Total: 310 kcal	Le sandwich de 6 po au steak et fromage, sur pain de blé, sans sauce Total: 520 kcal
Le sandwich de 6 po au poulet grillé, sur pain de blé (310 kcal) + sauce italienne sans matière grasse (35 kcal) Total: 345 kcal	Le sandwich de 12 po au steak et fromage, sur pain de blé, avec sauce ranch Total: 1260 kcal
Le sandwich de 6 po au jambon, sur pain de blé (280 kcal) + fromage (40 kcal) + moutarde (5 kcal) Total: 325 kcal	Le sandwich de 12 po au pepperoni, salami et fromage, sur pain de blé, avec vinaigrette italienne ordinaire Total: 1260 kcal

ASTUCES
> Demandez à ce qu'on mette seulement un peu de sauce.
> Afin d'éviter le sel, ajoutez du poivre et des fines herbes à votre sous-marin.

INTÉRESSANT À SAVOIR!

Un sous-marin de 6 po peut fournir jusqu'à 50 % de vos besoins quotidiens en sodium, et ce, sans tenir compte de la sauce ni des accompagnements.

On pourrait penser qu'un sandwich de 12 po au thon avec fromage est un bon choix. Pourtant, ce sous-marin en format de 12 po contient en réalité plus de 1020 calories.

Les fast-foods

Synonyme de service rapide, les endroits offrant des hamburgers et leurs dérivés ont souvent mauvaise presse. Il faut tout de même admettre qu'une partie de ces établissements s'est adaptée aux demandes grandissantes de sa clientèle réclamant des choix santé.

♥ ON ADORE	💣 ON FAIT ATTENTION
> les sandwichs au poulet grillé	> aux sandwichs au poulet pané
> les salades repas avec des viandes grillées	> aux salades repas avec des viandes croustillantes (friture)
> les petits hamburgers	> aux sandwichs avec double galette
> les salades vertes en accompagnement	> à la poutine
> les yogourts 0 % comme dessert	> aux laits frappés

QUE DEVEZ-VOUS CHOISIR?

★ DRAPEAU VERT	☠ DRAPEAU ROUGE
Un hamburger d'une galette, nature (275 kcal) + une salade du jardin (40 kcal) + un demi-sachet de vinaigrette balsamique (55 kcal) Total: 370 kcal	Un trio hamburger double, avec fromage, frites et boisson gazeuse Total: 1220 kcal
Un sandwich avec poulet grillé et condiments Total: 335 kcal	Un trio de 10 croquettes de poulet, avec frites de format moyen, boisson gazeuse de format moyen et sauce au miel Total: 1120 kcal
Une salade repas au poulet grillé (330 kcal) + un demi-sachet de vinaigrette balsamique (55 kcal) Total: 385 kcal	Un trio sandwich de poulet croustillant, avec poutine de petit format et boisson gazeuse de format moyen Total: 1290 kcal

ASTUCES

> Si possible, prenez le menu pour enfants.

> Dans la salle, utilisez seulement la moitié du sachet de vinaigrette ou moins: il y en a souvent beaucoup plus que nécessaire.

INTÉRESSANT À SAVOIR!

Un petit cornet de crème glacée d'une chaîne de restauration rapide est souvent moins dommageable pour votre ligne qu'un de leur muffin ordinaire.

Les restaurants à sushis

Autrefois méconnues du public québécois, ces bouchées de riz font maintenant partie intégrante des menus de bien des gens. Petits et remplis de saveurs, les sushis semblent inoffensifs pour votre tour de taille, ce qui n'est pas nécessairement le cas. Quels sont les meilleurs choix? Voici les réponses!

♥ ON ADORE

> les sushis contenant des légumes frais
> les sushis contenant des poissons et fruits de mer frais
> la soupe miso
> le wasabi et le gingembre mariné
> la sauce soya à faible teneur en sodium

💣 ON FAIT ATTENTION

> aux rouleaux frits
> à la sauce de type wafu (mayonnaise)
> aux sushis contenant de la mayonnaise
> au tempura
> à la sauce soya

QUE DEVEZ-VOUS CHOISIR?

★ DRAPEAU VERT	☠ DRAPEAU ROUGE
Six sushis de type maki au saumon fumé (200 kcal) + une soupe miso (102 kcal) Total: 302 kcal	Le combo de six sushis de type maki californien, six sushis de type maki dynamite et trois nigiris au saumon fumé Total: 1020 kcal
Six sushis de type maki au thon (200 kcal) + une soupe miso (102 kcal) Total: 302 kcal	La soupe repas au bœuf et aux nouilles udon Total: 750 kcal et beaucoup de sodium
Six sushis de type maki Fuji Total: 340 kcal	Un rouleau californien frit, avec une entrée de crevettes tempura Total: 960 kcal

L'aliment coupe-faim de Jimmy

Depuis plusieurs années, beaucoup de personnes me posent la question suivante: «As-tu un truc pour les gens qui semblent toujours avoir faim?» Eh bien oui, j'en ai un! Voici ma recette maison.

1. Dans un petit pot de verre (environ 300 ml), mettez les ingrédients suivants:

1/3   de graines de lin

1/3   de graines de lin moulues (que vous allez moudre vous-même)

1/3   de graines de chia

2. Fermez le pot et secouez-le vigoureusement pour bien mélanger le contenu.
Chaque matin, ajoutez une cuillerée à soupe de ce mélange à votre yogourt, à votre gruau ou dans vos céréales. Conservez le pot au congélateur.

3. En plus de vous apporter oméga-3, protéines, fibres, calcium et fer, ces graines vous soutiendront et vous permettront de tenir le coup entre votre déjeuner et votre dîner. Une cuillerée à soupe de ce mélange apporte approximativement 50 calories.

INTÉRESSANT À SAVOIR!
La graine de chia provient d'une plante cultivée principalement au Pérou et en Argentine. Au contact de l'eau, elle gonfle et se gélifie.

3500

C'est le nombre de calories que vous devrez dépenser pour éliminer 1 lb de graisse. La prochaine fois que le pèse-personne vous indiquera que vous avez maigri de 1 lb, félicitez-vous!

Afin de contrer les fringales de fin de soirée, ayez toujours un plat rempli de crudités à portée de la main. Cela réduira considérablement le nombre de calories que vous consommerez en une seule semaine.

CHAPITRE 5

LA MOTIVATION

Les trucs du coach

Il m'arrive souvent de rencontrer des gens qui se demandent pourquoi ils sont incapables de retrouver le chemin de la santé. Ces mêmes personnes m'expliquent qu'elles éprouvent beaucoup de difficultés à persévérer et abandonnent rapidement, après quelques semaines de changements d'habitudes de vie. Elles me posent donc cette question : « Toi, que fais-tu pour persévérer et garder le cap ? » En guise de réponse, je leur propose d'effectuer un petit exercice, que je vous encourage aujourd'hui à faire, vous aussi.

SUR QUOI MISEREZ-VOUS ?

L'exercice est simple. Procurez-vous deux jetons de style poker : un blanc et un rouge. Chaque fois que vous aurez à faire un choix quant à la nourriture, sortez ces jetons. Le blanc représentera le choix sain, celui qui vous permettra de réaliser vos objectifs concernant votre santé. Le rouge symbolisera le mauvais choix, celui qui vous fera stagner ou reculer par rapport à vos résolutions.

Une fois que vous aurez décidé ce que vous voulez manger, conservez votre jeton sélectionné et placez-le en face de vous durant tout votre repas. Cette pièce vous rappellera que votre état physique résulte de la somme de tous les choix que vous aurez faits au cours des dernières semaines, voire des derniers mois, quant à votre santé.

LE MANTEAU D'HIVER

Pour bien faire comprendre les effets d'un changement d'attitude relativement à la nourriture et à la perte de poids, je proposerai une analogie. Imaginez que vous portez un manteau d'hiver lourd et encombrant. Il est si lourd qu'il vous empêche de marcher, d'avancer et d'accomplir vos tâches. Ce poids sur vos épaules, votre cœur le ressent. Votre corps supporte ce vêtement depuis des années, c'est pourquoi votre cœur bat vite et se sent fatigué. Étant donné que vous avez de la difficulté à bouger, vous commencez à souffrir d'hypertension artérielle, d'obésité et de diabète de type II. Pourtant, dès le moment où vous avez enfilé ce manteau, vous saviez qu'il était trop lourd pour vous, et que vos déplacements seraient ardus. Vous sentiez que vous alliez avoir du mal à vous pencher, à monter un escalier, à courir pour ne pas rater le bus.

Avec le temps et l'épuisement, vous vous êtes rendu compte que tout ce que vous faisiez était devenu compliqué. Découragé par cette situation, vous avez commencé à grignoter à droite et à gauche, sans faire attention à ce que vous mangiez. De plus en plus à l'étroit dans ce manteau, vous vous sentez un peu plus déprimé chaque jour. Tout vous paraît sombre, et vous ne savez pas quand cela va s'arrêter. Vous vous sentez mal. Vraiment mal.

Ce manteau, avez-vous l'impression de le porter ? N'auriez-vous pas envie de vous en débarrasser une fois pour toutes ?

Si vous sentez le poids de ce manteau, vous n'êtes pas un cas isolé, car selon une étude, environ la moitié de la population nord-américaine se trouve dans la même situation. Au quotidien, il empêche les gens de vieillir en santé, leur enlève leur vitalité et leur volonté. Pourtant, de plus en plus de personnes s'enveloppent de ce vêtement, si lourd soit-il.

Pour ma part, j'en ai déjà porté un lorsque je pesais 452 lb (205 kg). Je vous affirme qu'il est possible de l'enlever et de mener une nouvelle vie. Certaines personnes devront déployer un peu plus d'efforts, afin de le ranger une fois pour toutes dans la garde-robe, mais croyez-moi, cela en vaut réellement la peine.

LA GRANDE FAIM DE SOIRÉE !

Si on désire changer et se débarrasser de ce poids encombrant, il est important de comprendre certains de nos comportements. Prenons un scénario classique.

La journée s'annonce belle. Vous avez bien déjeuné, et consommé uniquement des aliments santé. Vous avez terminé votre programme d'entraînement, et tout indique que la journée sera parfaite ! De retour à la maison, après un bon souper, vous décidez d'allumer la télé et de vous reposer.

Petit à petit, le soleil se couche. Vous êtes seul et la fatigue commence à s'emparer de vous. Lentement, mais sûrement, une drôle de sensation s'empare de vous, comme une sorte de vide à combler. Vous n'avez pas faim, mais décidez quand même de vous permettre une « petite gâterie », en vous disant que vous le méritez bien.

Dès la première bouchée, vous sentez que vous ne pourrez résister, et l'envie de manger l'intégralité du contenant de biscuits ou du sac de croustilles devient pratiquement incontrôlable. Dommage ! Seulement 5 à 10 minutes vous ont suffi pour reprendre toutes les calories brûlées pendant la journée. Le reste de la soirée, vous vous blâmez pour votre faiblesse, et votre estime personnelle en souffre. Vous vous promettez que c'est la dernière fois... jusqu'à la prochaine fois !

Vous reconnaissez-vous dans cette description ? Si la réponse est oui, ne vous en faites pas. Vous êtes dans la même situation que bien des gens. Lorsque j'ai décidé de changer, j'ai appris certains trucs qui m'ont aidé à avancer pour atteindre mon poids santé. **En voici trois que j'aimerais vous faire partager.**

1 SOYEZ À L'ÉCOUTE DE VOTRE CORPS

Si vous avez encore envie de manger tout de suite après avoir terminé votre repas, demandez-vous si c'est réellement de la faim ou si c'est la fatigue qui est à l'œuvre. Bien des gens n'acceptent pas de se sentir fatigués, alors ils se tournent vers la nourriture pour se donner un regain d'énergie.

En outre, le fait de s'installer devant la télévision va souvent de pair avec le grignotage incontrôlé. Pensez-y : désirez-vous vraiment regarder la télé ou n'est-ce qu'un prétexte pour manger ? En l'espace de quelques minutes, vous risquez de réduire à néant tous les efforts que vous avez accomplis dans la journée.

Avant de devenir esclave du petit écran le temps d'une soirée, profitez-en pour bouger, ne serait-ce qu'en allant marcher durant 15 à 30 minutes par exemple. Cela vous donnera un regain d'énergie pour une bonne partie de la soirée.

3 LA RÈGLE DU 1, 2, 3

Le chiffre 1 représente le moment où vous ressentez le désir incontrôlable de manger quelque chose. Le 2 correspond au moment où vous passez à l'action et le 3, à votre état d'esprit après avoir succombé. Donc, lorsque l'envie de combler un vide par la nourriture se manifestera, pensez tout de suite au chiffre 3. Cela vous permettra sans doute de vous raisonner. On mange souvent en réaction au stress ou à nos soucis, mais n'oubliez pas que la solution à vos problèmes se trouve très rarement dans le garde-manger.

2 POSTEZ UN GARDIEN !

Il n'est pas question ici d'un être humain, mais bel et bien d'un aliment santé auquel vous devrez faire face avant de toucher à vos grignotines. Par exemple, devant votre sac de croustilles, déposez une boîte de thon émietté dans l'eau. Vous devrez manger l'intégralité du contenu de la boîte de thon avant d'entamer vos croustilles. Cela vous indiquera si vous avez réellement faim ou s'il s'agit de pure gourmandise. Je suis persuadé que l'envie de grignotines vous passera lorsque vous apercevrez la boîte de conserve.

Réduisez vos portions ! Un truc ? Assurez-vous de toujours voir le fond de votre assiette lorsque vous vous servez. Ainsi, vous réduirez le nombre de calories... et votre tour de taille !

CHAPITRE 6

DES MENUS
SIMPLES ET EFFICACES POUR MAIGRIR

L'IMPORTANCE D'UN BON DÉJEUNER

Pour plusieurs personnes, il peut être difficile de déjeuner, en raison du manque de temps. Si vous n'avez pas l'habitude de prendre un repas au cours des deux premières heures suivant votre réveil, l'appétit risque de ne pas être au rendez-vous. Sachez toutefois que déjeuner est essentiel. En effet, le matin, votre corps n'a pas reçu de nourriture depuis environ huit heures. Si vous commencez votre journée l'estomac vide, votre système tournera assurément au ralenti. Cela pourrait se traduire par une difficulté à vous concentrer et par de l'irritabilité envers votre entourage.

Certaines études tendent même à démontrer que ceux qui ne mangent pas le matin seraient plus enclins à prendre des kilos. Cela serait dû au fait que les gens ont tendance à ingérer beaucoup plus de calories lors du dîner ou du souper puisqu'ils n'ont rien consommé le matin. Votre corps cherchant le plus possible à combler ce déficit énergétique, cela peut parfois vous pousser, consciemment ou non, à faire des choix plus caloriques le restant de la journée. C'est un peu comme aller faire l'épicerie le ventre vide.

Ainsi, déjeuner pourrait même vous éviter de succomber aux tentations de fin de soirée (croustilles, biscuits ou crème glacée). Or, celles-ci renferment un nombre incroyable de calories. Bref, prendre un repas nutritif en début de journée, c'est s'assurer de la commencer du bon pied et de mettre toutes les chances de son côté pour retrouver la forme.

DES TRUCS POUR INTÉGRER LE DÉJEUNER À VOTRE ROUTINE

> Si vous n'avez pas le goût de mastiquer des aliments solides, optez pour une de nos recettes à boire, de style *smoothie*. Ces boissons sont nourrissantes et vous assureront un bon apport en nutriments.

> Si vous ne déjeunez pas sous prétexte que vous n'avez pas faim le matin, essayez de vous lever 15 minutes plus tôt afin de manger.

> Si vous appartenez aux purs et durs qui ne peuvent concevoir de prendre un repas à chaque début de journée, donnez-vous un objectif. Par exemple, la première semaine, déjeunez quatre jours sur sept. Par la suite, tentez d'ajouter un repas matinal par semaine, jusqu'à ce que cela soit totalement intégré à votre routine.

> Si vous êtes incapable d'avaler quoi que ce soit en sautant du lit, prenez au moins un fruit et mangez davantage une fois rendu au travail.

> Si vous êtes un fumeur ou une fumeuse, évitez de griller une cigarette avant de déjeuner, car vous risquez de ne pas sentir la faim.

> Si vous n'avez pas faim, déjeunez une fois vos tâches terminées avant d'aller travailler. Cela pourrait vous ouvrir l'appétit plus tard.

COMMENT RECONNAÎTRE LES BONNES CÉRÉALES ?

Pour bien des gens, les céréales restent l'aliment principal du déjeuner. Avec du lait et une portion de fruits, ce type d'aliment peut constituer une bonne option pour amorcer la journée, mais encore faut-il savoir lesquelles sont les meilleures sur le plan nutritif. Autrefois, il était relativement facile de s'y retrouver, car le choix se limitait souvent aux flocons d'avoine et au riz soufflé. Cependant, depuis une trentaine d'années, les nouveaux produits se sont multipliés à un rythme effréné. Aujourd'hui, des rangées entières d'épicerie sont remplies de boîtes de céréales. Et si l'on doit en croire les emballages, elles ont toutes plus que les autres des vertus bénéfiques pour la santé ! Est-ce vraiment le cas ? Comment s'y retrouver dans une telle variété ? Voici des règles simples à suivre lorsque vient le temps de choisir vos céréales.

À SURVEILLER

Plus les céréales contiennent de noix, d'ingrédients de type granola et de fruits séchés, plus le contenu en calories par portion risque d'être élevé. Il est donc très important de vérifier ce que représente une portion, une quantité qui peut être très variable. Pour certaines céréales, une portion sera égale à deux tasses, tandis qu'elle sera de deux tiers de tasse pour une autre sorte. Être attentif en les choisissant se révèlera très payant pour votre ligne.

Le top 5
DES CÉRÉALES DU MARCHÉ
(PAR PORTION)

CÉRÉALES ALL-BRAN BUDS
1 g de lipides, 7 g de glucides, 3 g de protéines, 1 g de fibres

CÉRÉALES ALL-BRAN BOUCHÉES AUX FRAISES
1 g de lipides, 9 g de glucides, 4 g de protéines, 5 g de fibres

CÉRÉALES GO LEAN CRUNCH! DE KASHI
1 g de lipides, 9 g de glucides, 13 g de protéines, 5 g de fibres

FIBRE 1 GRAPPES AU MIEL DE GENERAL MILLS
1,5 g de lipides, 6 g de glucides, 3 g de protéines 13 g de fibres

SHREDDED WHEAT, WHEAT'N BRAN DE POST
200 calories, 1 g de lipides, 0 g de glucides, 6 g de protéines, 8 g de fibres

Dans une portion de céréales d'environ 30 grammes, on devrait retrouver ceci en lisant l'étiquette nutritionnelle :
> un minimum de 3 g de fibres,
> 0 gras trans,
> 3 g de protéines ou plus,
> moins de 3 g de lipides,
> de 5 g à 7 g de glucides pour les céréales sans fruits,
> 10 g et moins de glucides pour des céréales avec fruits,
> et moins de 240 mg de sodium.

Si vous êtes incapable d'avaler quoi que ce soit en sautant du lit, prenez au moins un fruit et mangez d'avantage une fois rendue au travail.

LES DÉJEUNERS

1 + 1 + 1

Des déjeuners nutritifs vite préparés

Si vous devez déjeuner rapidement et que vous êtes en manque d'inspiration, voici huit exemples de déjeuners nutritifs qui vous prendront peu de temps à préparer.

 +  +  =

| 1 demi-muffin anglais (65 kcal) | 2 c. à soupe (30 ml) de fromage à la crème allégé (60 kcal) | ½ tasse (125 ml) de fraises (25 kcal) | **150 kcal** Compléter avec 1 yogourt grec 0 % ou 12 amandes. |

 +  +  =

1 ½ tasse (375 ml) de yogourt 0 % (105 kcal)

1 petite banane (100 kcal)

¼ tasse (60 ml) de muesli (70 kcal)

275 kcal
Passer au mélangeur.

 +  =

1 tasse (250 ml) de fruits des champs (70 kcal)

2/3 tasse (170 ml) de yogourt grec 0 % (125 kcal)

195 kcal

1 pomme moyenne (90 kcal) + 1 tasse (250 ml) de fromage cottage 2 % (194 kcal) = **284 kcal**

 +  +  =

1 rôtie (max. 100 kcal) + 1 c. à soupe (15 ml) de beurre d'arachides (95 kcal) + 1 tasse (250 ml) de lait de soya (130 kcal) = **325 kcal**

 +  +  =

1 demi-bagel de grains entiers (max. 150 kcal) + ½ tasse (125 ml) de fromage cottage 2 % (97 kcal) + 1 c. à soupe (15 ml) de confiture allégée (20 kcal) = **267 kcal**

 +  +  =

1 demi-pamplemousse (45 kcal) + 1 rôtie avec 1 c. à soupe (15 ml) de confiture allégée (max. 120 kcal) + ½ tasse (125 ml) de yogourt grec 0 % (max. 100 kcal) = **265 kcal**

1 kiwi (45 kcal) + 1 rôtie avec 2 c. à thé (10 ml) de beurre d'amandes (max. 185 kcal) + ½ tasse (125 ml) de yogourt 0 % (max. 100 kcal) = **330 kcal**

MUFFINS AUX BLEUETS ET À L'AVOINE

QUANTITÉ › *12 portions* / **CALORIES** › *285 par portion*

INGRÉDIENTS

2	tasses (500 ml) de farine de blé entier
1	tasse (250 ml) de flocons d'avoine
1	tasse (250 ml) de sucre
1	c. à thé (5 ml) de bicarbonate de soude
1	c. à thé (5 ml) de levure chimique (poudre à pâte)
1	c. à thé (5 ml) de sel
1 1/2	tasse (375 ml) de lait de soya nature non sucré
1	gros œuf
1/2	tasse (125 ml) d'huile végétale
1	c. à thé (5 ml) d'extrait de vanille
1	c. à thé (5 ml) de vinaigre de cidre
1	tasse (250 ml) de bleuets frais ou surgelés

PRÉPARATION

1. Placez la grille au centre du four. Préchauffez le four à 350 °F (180 °C).

2. Dans un bol, mélangez la farine, l'avoine, le sucre, le bicarbonate de soude, la levure et le sel. Réservez.

3. Dans un autre bol, mélangez le lait de soya, l'œuf, l'huile, la vanille et le vinaigre de cidre. Ajoutez les ingrédients secs à la préparation humide et mélangez juste assez pour humecter. Ajoutez les bleuets et mélangez délicatement.

4. Répartissez la pâte dans le moule à muffins. Faites cuire au four de 25 à 30 minutes, ou jusqu'à ce qu'un cure-dent inséré au centre en ressorte propre. Laissez refroidir quelques minutes.

SI VOUS AJOUTEZ...

½ tasse (125 ml) de yogourt 0 %

= **60 calories**

345 par portion

Smoothie vert tropical

QUANTITÉ › *2 portions*
CALORIES › *175 par portion*

INGRÉDIENTS

2/3   tasse (160 ml) de lait écrémé

1/2   tasse (125 ml) de yogourt grec nature 2 %

1/2   tasse (125 ml) d'ananas surgelés en cubes

1   banane mûre

1   tasse (250 ml) d'épinards

PRÉPARATION

Mettez tous les ingrédients dans le mélangeur et mélangez-les à puissance élevée, jusqu'à obtenir une consistance homogène.

 SI VOUS AJOUTEZ...
1 tranche de pain
de blé entier
1 c. à thé (5 ml)
de beurre d'amandes
= 170 calories

345 par portion

Smoothie fruité au tofu

QUANTITÉ › *2 portions* / **CALORIES** › *185 par portion*

INGRÉDIENTS

1/2	tasse (125 ml) de fraises surgelées
1/2	tasse (125 ml) de mangues surgelées
1/2	banane suffisamment mûre
1	tasse (150 g) de tofu soyeux mou
3/4	tasse (180 ml) de jus d'orange ou de mangue, pur à 100 %

SI VOUS AJOUTEZ...

1 tranche de pain de blé entier

1 c. à thé (5 ml) de margarine

30 g de fromage cheddar réduit en m.g.

= **180 calories**

365 par portion

PRÉPARATION

Mettez tous les ingrédients dans le mélangeur et mélangez-les à puissance élevée jusqu'à l'obtention d'une consistance homogène.

SMOOTHIE TOUT-EN-UN

QUANTITÉ › *1 portion*
CALORIES › *375 par portion*

INGRÉDIENTS

1	c. à soupe (15 ml) de beurre d'arachides
2	c. à soupe (30 ml) de germe de blé
1	grosse banane suffisamment mûre
1/2	tasse (125 ml) de lait écrémé
1 1/2	tasse (375 ml) de glace

PRÉPARATION

Mettez tous les ingrédients dans le mélangeur et mélangez-les à puissance élevée, jusqu'à ce que la glace soit complètement brisée.

Note : Pour obtenir un goût chocolaté, vous pouvez remplacer le lait écrémé par une boisson laitière au chocolat sans sucre ajouté (+ 50 calories environ).

MUFFINS CHOCO-BANANES AUX DATTES

QUANTITÉ › *10 portions* / **CALORIES** › *180 par portion*

INGRÉDIENTS

1/3	tasse (80 ml) de dattes séchées
3/4	tasse (180 ml) d'eau
1/3	tasse (80 ml) de haricots blancs en conserve, bien rincés
1	banane écrasée à la fourchette
1/4	tasse (60 ml) d'huile végétale
1	gros œuf battu
1/4	tasse (60 ml) de pépites de chocolat noir

1/2	tasse (125 ml) de farine de blé entier
2/3	tasse (160 ml) de flocons d'avoine (gruau) à cuisson rapide
1/2	c. à thé (2 ml) de levure chimique (poudre à pâte)
1/2	c. à thé (2 ml) de bicarbonate de soude
1/2	c. à thé (2 ml) de cannelle en poudre
1	pincée de sel

PRÉPARATION

1. Placez la grille au centre du four. Préchauffez le four à 350 °F (180 °C).

2. Combinez les dattes et l'eau dans un bol allant au four à micro-ondes. Chauffez au four à micro-ondes trois minutes, puis réduisez le tout en purée au mélangeur. Laissez refroidir.

3. À la fourchette, écrasez les haricots blancs jusqu'à former une purée.

4. Dans un bol, mélangez la purée de dattes, la banane écrasée, la purée de haricots, l'huile et l'œuf. Réservez.

5. Dans un autre bol, mélangez le reste des ingrédients. Incorporez-les à la première préparation, en mélangeant doucement et le moins possible.

6. Répartissez la pâte dans le moule à muffins. Faites cuire au four de 15 à 20 minutes, ou jusqu'à ce qu'un cure-dent inséré au centre en ressorte propre. Laissez refroidir quelques minutes.

 SI VOUS AJOUTEZ...

½ tasse (125 ml) de fraises en moitiés
= **28 calories**

1 tasse (250 ml) de lait écrémé
= **88 calories**

296 par portion

Muffins épicés aux pommes

QUANTITÉ › *10 portions* / **CALORIES ›** *140 par portion*

INGRÉDIENTS

1	tasse (250 ml) de farine de blé entier
1	c. à thé (5 ml) de levure chimique (poudre à pâte)
1/2	c. à thé (2 ml) de cannelle moulue
1/2	c. à thé (2 ml) de gingembre moulu
1	gros œuf
1/2	tasse (125 ml) de cassonade
1/3	tasse (80 ml) de lait écrémé
2	c. à soupe (30 ml) d'huile de canola
3	c. à soupe (45 ml) de compote de pommes non sucrée
3/4	tasse (180 ml) de céréales de son (style All Bran)
1	pomme râpée avec la pelure
1	pomme pelée, coupée en dés

PRÉPARATION

1. Placez la grille au centre du four. Préchauffez le four à 350 °F (180 °C).

2. Dans un bol, mélangez la farine, la levure et les épices. Réservez.

3. Dans un grand bol, mélangez l'œuf, la cassonade, le lait, l'huile et la compote de pommes à l'aide d'un fouet. Ajoutez les céréales et laissez reposer environ 5 minutes. Ajoutez les ingrédients secs à la préparation humide et mélangez juste assez pour humecter. Incorporez délicatement les pommes.

4. Répartissez la pâte dans le moule à muffins. Faites cuire au four de 20 à 25 minutes, ou jusqu'à ce qu'un cure-dent inséré au centre en ressorte propre. Laissez refroidir quelques minutes.

SI VOUS AJOUTEZ...

40 g de fromage cheddar réduit en m.g.
= **113 calories**

1 petite poire avec pelure = **55 calories**

308 par portion

MUFFINS AU YOGOURT GREC AUX FRAMBOISES

QUANTITÉ › *10 portions* / **CALORIES** › *175 par portion*

INGRÉDIENTS

1 1/4	tasse (310 ml) de farine de blé entier
1/4	tasse (60 ml) de sucre granulé
1	c. à soupe (15 ml) de levure chimique (poudre à pâte)
1/2	c. à thé (2 ml) de sel
1	tasse (250 ml) de yogourt grec aux framboises

1/4	tasse (60 ml) d'huile végétale
1/4	tasse (60 ml) de céréales de son (style All Bran)
1	gros œuf
1	tasse (250 ml) de framboises fraîches ou surgelées

PRÉPARATION

1. Placez la grille au centre du four. Préchauffez le four à 350 °F (180 °C).

2. Dans un bol, mélangez la farine, le sucre, la levure et le sel. Réservez.

3. Dans un autre bol, mélangez le yogourt, l'huile, les céréales et l'œuf.

4. Ajoutez les ingrédients secs aux ingrédients liquides et mélangez juste assez pour humecter. Ajoutez les framboises et mélangez délicatement.

5. Répartissez la pâte dans le moule à muffins. Faites cuire au four de 20 à 25 minutes, ou jusqu'à ce qu'un cure-dent inséré au centre en ressorte propre. Laissez refroidir quelques minutes.

SI VOUS AJOUTEZ...

½ tasse (125 ml) de framboises

= 34 calories

½ tasse (125 ml) de yogourt grec sans gras à la vanille

= 95 calories

304 par portion

Gruau au four aux bleuets

QUANTITÉ › *2 portions* / **CALORIES** › *340 par portion*

INGRÉDIENTS

1   gros œuf

1/4   tasse (60 ml) de lait écrémé

3/4   tasse (180 ml) de yogourt sans gras à la vanille

1   c. à soupe (15 ml) de cassonade

1   tasse (250 ml) de flocons d'avoine (gruau) à cuisson rapide

1/2   tasse (125 ml) de bleuets surgelés

    Le zeste d'une orange

PRÉPARATION

1. Placez la grille au centre du four. Préchauffez le four à 350 °F (180 °C).

2. Battez l'œuf dans un bol, puis ajoutez le lait, ¼ tasse (60 ml) de yogourt, la cassonade et le zeste d'orange. Mélangez bien tous les ingrédients. Ajoutez l'avoine et mélangez à nouveau. Ajoutez les bleuets et mélangez le tout juste assez pour incorporer les ingrédients.

3. Versez dans deux ramequins ou dans un petit plat en pyrex. Faites cuire au four environ 30 minutes. Laissez refroidir quelques minutes.

4. Garnissez chaque portion de ¼ tasse (60 ml) de yogourt sans gras à la vanille.

Quinoa poires-canneberges

QUANTITÉ › *2 portions* / **CALORIES** › *395 par portion*

INGRÉDIENTS

3/4 tasse (180 ml) de quinoa sec, bien rincé

1 tasse + 2 c. à soupe (280 ml) d'eau

1/2 c. à thé (2 ml) de cannelle

1 c. à thé (5 ml) d'extrait de vanille

1/4 tasse (60 ml) de compote de poires non sucrée

2 c. à soupe (30 ml) de canneberges séchées

3/4 tasse (180 ml) de lait écrémé

1 poire non pelée, coupée en dés

Cannelle, au goût pour la garniture

PRÉPARATION

1. Dans une casserole, combinez le quinoa, l'eau, la cannelle et la vanille, puis amenez à ébullition. Réduisez le feu. Faites cuire à couvert de 12 à 15 minutes.

2. Répartissez également le quinoa dans deux bols. Dans chaque bol, ajoutez la moitié de la compote et des canneberges.

3. Chauffez le lait quelques secondes au four à micro-ondes afin qu'il soit tiède, puis versez-le à parts égales dans les bols.

4. Garnissez chaque bol de la moitié de la poire et saupoudrez de cannelle au goût.

CÉRÉALES ET PETITS FRUITS

QUANTITÉ › *1 portion*
CALORIES › *250 à 290 par portion*
(selon le type de céréales choisies)

INGRÉDIENTS ET PRÉPARATION

30 g de céréales* au choix

1 tasse (250 ml) de lait écrémé

1/2 tasse (125 ml) de petits fruits au choix (bleuets, fraises, framboises, mûres)

* Il est important de se référer à l'étiquette de valeur nutritionnelle, afin de connaître la portion de référence pour le type de céréales choisies. Selon la densité des céréales, 30 g peut donner 100 ml ou 150 ml.

Demi-bagel de blé entier grillé avec fromage

QUANTITÉ › *1 portion*
CALORIES › *290 par portion*

INGRÉDIENTS

1/2	bagel de blé entier
1	c. à thé (5 ml) de margarine
1 1/2	oz (45 g) de fromage cheddar faible en gras
1/2	tasse (125 ml) de raisins frais

LE PETIT CLASSIQUE

QUANTITÉ › *1 portion* / **CALORIES** › *335 par portion*

INGRÉDIENTS

1/2	tasse (125 ml) de fruits frais, coupés en dés
1	tranche de pain de blé entier, grillée (max: 100 kcal)
1	c. à thé (5 ml) d'huile végétale (pour la cuisson)
1	œuf, cuisson au choix
1/2	tasse (125 ml) de yogourt sans gras, saveur au choix

PRÉPARATION

1. Dans un petit poêlon antiadhésif, faites chauffer l'huile. Déposez l'œuf et cuisez-le à votre goût, à feu moyen. Pendant ce temps, faites griller le pain.

2. Déposez le tout dans une grande assiette, accompagné des fruits et du yogourt.

YOGOURT AUX PETITS FRUITS ET AU GRANOLA

QUANTITÉ › *1 portion* / **CALORIES** › *300 par portion*

INGRÉDIENTS

3/4	tasse (185 ml) de yogourt grec à la vanille 0 %
1/2	tasse (125 ml) de petits fruits au choix
1	c. à thé (5 ml) de germe de blé
1/4	tasse (60 ml) de granola

Pain doré au four

QUANTITÉ › *3 portions* / **CALORIES** › *365 par portion*

INGRÉDIENTS

1/2	tasse (125 ml) de flocons d'avoine (gruau) à cuisson rapide
1/4	tasse (60 ml) d'amandes émincées
2	c. à soupe (30 ml) de germe de blé
1	c. à soupe (15 ml) de cassonade
1	œuf
2/3	tasse (160 ml) de lait écrémé
3	tranches de pain de blé entier
3/4	tasse (180 ml) de yogourt 0 %
1 1/2	petites bananes

PRÉPARATION

1. Placez la grille au centre du four. Préchauffez le four à 350 °F (180 °C). Recouvrez une plaque à pâtisserie de papier parchemin.

2. Dans un grand bol, mélangez l'avoine, les amandes, le germe de blé et la cassonade. Réservez.

3. Dans un autre bol peu profond, battez l'œuf et le lait avec un fouet. Déposez les tranches de pain dans cette préparation et laissez imbiber 1 minute de chaque côté.

4. Égouttez les tranches de pain quelque peu, puis déposez-les dans l'autre préparation de manière à les enrober de chaque côté. Déposez les tranches de pain sur la plaque à pâtisserie et faites cuire au four de 10 à 12 minutes de chaque côté, ou jusqu'à ce qu'elles soient cuites.

5. Servez chaque tranche avec ¼ tasse (60 ml) de yogourt 0 % et la moitié d'une petite banane coupée en rondelles.

BARRES GRANOLA MAISON

QUANTITÉ › *12 portions* / **CALORIES** › *175 par portion*

INGRÉDIENTS

1	tasse (250 ml) de céréales de type muesli au choix
1	tasse (250 ml) de flocons d'avoine
1/2	tasse (125 ml) de riz soufflé
1/2	tasse (125 ml) de raisins secs
1	c. à thé (5 ml) de cannelle ou au goût
2	c. à soupe (30 ml) de graines de lin moulues
2	c. à soupe (30 ml) de graines de tournesol non salées et écalées
2	œufs
1/4	tasse (60 ml) de miel
1/4	tasse (60 ml) d'huile végétale

PRÉPARATION

1. Préchauffez le four à 350 °F (180 °C).

2. Dans un grand bol, mélangez les ingrédients secs. Dans un petit bol, battez les œufs, puis ajoutez l'huile et le miel. Incorporez le mélange d'œuf aux ingrédients secs et mélangez bien le tout.

3. Versez le mélange dans un plat en pyrex de 9 po légèrement huilé.

4. Faites cuire au four pendant environ 15 minutes, ou jusqu'à ce que la préparation soit dorée. Laissez refroidir et coupez en 12 barres. Emballez-les séparément et réfrigérez ou surgelez.

 SI VOUS AJOUTEZ...

½ tasse (125 ml) de fromage cottage 1 % = **94 calories**

1 tasse (250 ml) de fraises fraîches = **56 calories**

325 par portion

GAUFRES SANTÉ AUX BLEUETS

QUANTITÉ › *4 portions* / **CALORIES** › *230 par portion*

INGRÉDIENTS

3/4	tasse (180 ml) de farine tout usage
1/4	tasse (60 ml) de farine de blé entier
1	c. à soupe (15 ml) de poudre de lait écrémé
1/2	c. à soupe (7 ml) de levure chimique (poudre à pâte)
1	pincée de sel
1	œuf
1	tasse (250 ml) de lait écrémé
1 1/2	c. à soupe (22 ml) d'édulcorant Splenda
1 1/2	c. à soupe (22 ml) d'huile végétale
1/2	tasse (125 ml) de bleuets frais

PRÉPARATION

1. Dans un bol, mélangez bien les farines, la poudre de lait écrémé, la levure et le sel.

2. Dans un autre bol, mettez l'œuf, le lait, l'édulcorant Splenda et ½ c. à thé (5 ml) d'huile végétale. Fouettez le mélange. Incorporez le tout délicatement au mélange sec et mélangez bien. Ajoutez les bleuets, sans trop les écraser.

3. Chauffez le gaufrier et badigeonnez-le d'environ 1 c. à soupe (15 ml) d'huile végétale. Étendez ½ tasse (125 ml) de la pâte pour chaque gaufre et fermez le gaufrier. Faites cuire de 4 à 5 minutes, ou jusqu'à ce que la pâte soit bien dorée.

SI VOUS AJOUTEZ...

1 c. à soupe (15 ml) de sirop d'érable = **54 calories**

½ tasse (125 ml) de lait écrémé = **44 calories**

328 par portion

Crêpes aux poires et au miel

QUANTITÉ › *8 portions* / **CALORIES** › *205 par portion*

INGRÉDIENTS

1	tasse (250 ml) de farine tout usage
1/2	tasse (125 ml) de farine de blé entier
1	c. à thé (5 ml) de levure chimique (poudre à pâte)
1/2	c. à thé (2 ml) de gingembre moulu
1	pincée de sel
1	œuf
1	tasse (250 ml) de lait écrémé
1/4	tasse (60 ml) de compote de poires sans sucre
3	c. à soupe (45 ml) de miel
2	c. à soupe (30 ml) d'huile végétale
3	poires ou pommes, coupées en tranches fines

PRÉPARATION

1. Mélangez ensemble les farines, la levure, le gingembre et le sel.

2. Dans un autre bol, battez l'œuf et ajoutez le lait, la compote de poires, le miel et l'huile. Intégrez les ingrédients liquides aux ingrédients secs et mélangez jusqu'à ce que le mélange soit bien lisse.

3. Chauffez un poêlon antiadhésif et versez-y environ ¼ tasse (60 ml) de la pâte à crêpe. Faites cuire jusqu'à ce que les deux côtés soient dorés.

4. Déposez une crêpe dans une assiette et couvrez-la de tranches de poires ou de pommes. Servez.

SI VOUS AJOUTEZ...

1 c. à soupe (15 ml) de sirop d'érable = **54 calories**

½ tasse (125 ml) de lait écrémé = **44 calories**

303 par portion

La Vie est Belle ♡

Rien ne sert de vous priver à 100 % ! Permettez-vous un aliment « festif » une fois par semaine. De cette façon, vous n'accumulerez pas les frustrations et risquerez moins d'interrompre votre processus de perte de poids.

LES
DÎNERS

Les pains

* CHOISISSEZ DES PAINS DE CÉRÉALES COMPLÈTES
(75 À 188 KCAL MAXIMUM)

> ½ pita de 16,5 cm de diamètre
> 1 pita de 10,2 cm de diamètre
> 34 g de tortilla de blé entier
> Pain de blé entier tranché: 2 tranches (petites/moyennes)
> 1/3 de baguette ou 55 g de pain ciabatta de blé entier
> Pain kaiser de blé entier

> 50 g de pain au kamut
> 50 g de baguette de blé entier
> Pain de seigle noir (pumpernickel) 2 tranches (petites/moyennes)
> Pain intégral: 2 tranches (petites/moyennes)
> Pain de seigle: 2 tranches (petites/moyennes)
> Muffins anglais

Les sauces

(1 CHOIX)
(MAXIMUM 50 KCAL)

> Moutarde de Dijon (1 c. à soupe)
> Moutarde aromatisée (aux fines herbes, au vin blanc, etc.) (1 c. à soupe)
> Mayonnaise allégée (1 c. à soupe)
> Vinaigrette italienne ou crémeuse allégée (1 c. à soupe)
> Raita (yogourt au concombre), fait avec du yogourt allégé (1 c. à soupe)
> Sauce barbecue (1 c. à soupe)
> Sauce de style salsa (2 c. à soupe)
> Sauce teriyaki faible en sodium (1 c. à soupe)
> Vinaigre balsamique (1 c. à soupe)
> Vinaigre de cidre (1 c. à soupe)
> Faites votre propre sauce avec du yogourt nature à 0 % de m.g. et des épices, telles que du cari ou du piment d'Espelette.

Les viandes et substituts

(1 CHOIX)
(75 À 160 KCAL)

> Hoummos: 3 c. à soupe
> Baba ghanoush: 3 c. à soupe
> Viandes à fondue, cuites, faibles en sodium: 75 g
> Poitrine de dinde (viande froide): 75 g ou 3 tranches
> Jambon (viande froide): 75 g ou 3 tranches
> Poulet haché maigre, cuit: 75 g
> Poitrine de poulet rôti: 75 g
> Thon (blanc en conserve, dans l'eau) mélangé avec 2 c. à soupe de yogourt 1 %: 75 g
> Saumon fumé: 75 g
> 2 œufs
> Tofu: 1/3 tasse
> Végépâté: 55 g

Les légumes et garnitures

(ENTRE 2 ET 3 CHOIX)
(ENVIRON 50 KCAL)

> Tomates
> 2 c. à soupe de tomates séchées au soleil (éponger l'huile le plus possible)
> Concombre
> Différents types de laitues
> Cornichons
> Épinards
> Câpres
> Piments forts
> ¼ tasse d'aubergine marinée (sans huile)
> Carottes râpées
> Poivrons de différentes couleurs
> Pommes
> Poires
> Oignons
> Oignons verts
> Mélange de légumes marinés dans le vinaigre
> Asperges blanchies
> Piment jalapeno
> Radis
> Choux
> Betteraves
> Céleri
> Champignons
> Endives
> Fenouil
> 1 cœur de palmier
> ¼ tasse de cœur d'artichaut

Ajouts pour la phase de maintien

(1 CHOIX)
(60 À 90 KCAL)

> Fromage à la crème allégé (aux légumes, aux fines herbes, etc.): 2 c. à soupe
> Fromage suisse, cheddar ou mozzarella faible en m.g.: 25 g
> Fromage de chèvre à 21 % de m.g.: 25 g
> Féta à 21 % de m.g.: 25 g
> Olives noires: 3/8 tasse
> ¼ d'avocat

Total

> Sandwich ordinaire: **de 300 à 400 kcal**
> Sandwich avec ajout pour la phase de maintien: **de 375 à 500 kcal**

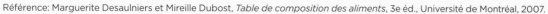

Référence: Marguerite Desaulniers et Mireille Dubost, *Table de composition des aliments*, 3e éd., Université de Montréal, 2007.

Pains: Quand on étudie le tableau de valeur nutritionnelle d'un pain ou de tout autre aliment, il est important de considérer la portion de référence. Par exemple, les pitas sont très denses; un pita complet pèse environ le double d'une portion de deux tranches de pain de blé entier! En comparant différentes marques de pains tranchés, on peut constater de grandes différences de valeur nutritionnelle. Cela est souvent simplement dû au fait que les portions de référence n'ont pas le même poids. Une portion de pain pèse généralement de 30 g à 55 g.

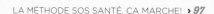

Wraps mexicains et salade

QUANTITÉ › *2 portions* / **CALORIES ›** *400 par portion*

INGRÉDIENTS

WRAPS

1/2	avocat pelé et dénoyauté
1	oignon vert paré
1	c. à soupe (15 ml) de jus de citron
1/2	tasse (125 ml) de poulet cuit, coupé en cubes
2	tortillas au blé entier de grandeur moyenne
2	c. à soupe (30 ml) de cheddar partiellement écrémé, râpé
1/2	tomate, coupée en dés
1/2	tasse (125 ml) de laitue coupée en fines lanières
	Coriandre fraîche, au goût
	Sel et poivre, au goût

SALADE MEXICAINE

1	tasse (250 ml) de maïs en grains décongelé, ou de maïs frais cuit
1/2	poivron rouge, coupé en petits dés
1/2	poivron vert, coupé en petits dés
1/2	concombre, coupé en petits dés
1/2	tomate, coupée en petits dés
1	c. à soupe (15 ml) de jus de citron
1	c. à soupe (15 ml) d'huile d'olive
1/2	c. à soupe (7 ml) d'ail haché

PRÉPARATION

WRAPS

1. Déposez les quatre premiers ingrédients dans un robot culinaire. Mélangez, jusqu'à l'obtention d'une tartinade lisse et crémeuse.

2. Combinez le mélange avec les cubes de poulet.

3. Étendez la préparation sur les tortillas. Salez et poivrez. Garnissez de fromage râpé, de tomates et de laitue.

4. Roulez les tortillas, puis coupez-les en deux. Emballez et réfrigérez.

SALADE MEXICAINE

Dans un bol, mélangez bien tous les ingrédients. Laissez mariner au moins 2 heures avant de servir.

SALADE DE POULET À L'ASIATIQUE

QUANTITÉ › *3 portions* / **CALORIES** › *312 par portion*

INGRÉDIENTS

SALADE

1	tasse (250 ml) d'épinards
1	tasse (250 ml) de laitue en feuilles
1	tasse (250 ml) de fèves germées fraîches
1	poivron rouge, coupé en juliennes
1	tasse (250 ml) de carottes râpées
1	tasse (250 ml) de poulet cuit, coupé en cubes
1	tasse (250 ml) de nouilles à chow mein croustillantes

VINAIGRETTE

2	c. à soupe (30 ml) de sauce soya faible en sodium
1	c. à soupe (15 ml) de sauce hoisin (dans le rayon des produits asiatiques)
1	c. à soupe (15 ml) d'huile d'olive
1	c. à thé (5 ml) d'huile de sésame
2	c. à soupe (30 ml) de vinaigre de riz
1/2	gousse d'ail hachée
	Tabasco, au goût
	Pincée de graines de sésame, pour garnir

PRÉPARATION

1. Dans un grand bol, mélangez tous les ingrédients de la salade, sauf les nouilles croustillantes.

2. Dans un autre bol, mélangez tous les ingrédients de la vinaigrette, sauf les graines de sésame. Réfrigérez séparément.

3. Versez la vinaigrette sur la salade seulement au moment de servir. Garnissez de nouilles croustillantes et de graines de sésame à la dernière minute.

 EN GUISE DE DESSERT...
½ tasse (125 ml) de yogourt sans gras, sans sucre ajouté
= 35 calories

347 par portion

ROULEAUX DE PRINTEMPS AUX CREVETTES ET AU POULET

QUANTITÉ › *2 portions* / **CALORIES ›** *164 par portion*

INGRÉDIENTS

4	feuilles de riz
4	grandes feuilles de laitue Boston
1/4	tasse (60 ml) de menthe fraîche, hachée
1/4	tasse (60 ml) de coriandre fraîche, hachée
1/4	tasse (60 ml) de carottes râpées, ou coupées en fines juliennes

1/4	tasse (60 ml) de concombre, coupé en fines juliennes
1/2	tasse (125 ml) de blanc de poulet, haché
4	grosses crevettes, coupées en deux dans la longueur

SAUCE CRÉMEUSE

1	c. à soupe (15 ml) de sauce hoisin (dans le rayon des produits asiatiques)
1/4	tasse (60 ml) de yogourt nature sans gras

PRÉPARATION

1. Passez les feuilles de riz dans l'eau tiède, une à la fois, pour les ramollir. Égouttez-les et déposez-les sur un linge à vaisselle propre.

2. Dans un bol, mélangez bien la menthe, la coriandre, les carottes, le concombre, le poulet et les crevettes.

3. Enveloppez les ingrédients dans les feuilles de laitue. Déposez ensuite chaque rouleau au centre des feuilles de riz. Roulez comme un cigare, en repliant les côtés pour éviter que la garniture ne déborde.

4. Emballez chaque rouleau séparément. Réfrigérez.

5. Mélangez bien la sauce hoisin et le yogourt. Réfrigérez.

6. Servez avec la sauce crémeuse.

 SI VOUS AJOUTEZ...
Salade de mangue : ½ mangue coupée en dés avec le jus d'une lime et de la coriande fraiche = **70 calories**

234 par portion

TORTILLAS ROULÉES AU THON

QUANTITÉ › *2 portions*
CALORIES › *221 par portion*

INGRÉDIENTS

1/4	tasse (60 ml) de fromage à la crème faible en gras
1/2	c. à soupe (7 ml) de mayonnaise faible en gras
1/2	boîte de 170 g de thon pâle émietté dans l'eau, égoutté
1	tasse (250 ml) de légumes au choix coupés finement (carottes, oignon, épinards, poivron, tomate, laitue, céleri ou autre)
2	tortillas de blé entier
	Sel et poivre, au goût

PRÉPARATION

1. Dans un bol, mélangez bien le fromage à la crème, la mayonnaise, le sel, le poivre, le thon et les légumes.

2. Déposez le mélange sur les tortillas. Roulez fermement la garniture dans les tortillas. Enveloppez dans du papier ciré. Réfrigérez.

 EN GUISE DE DESSERT...
½ tasse (125 ml) de salade de fruits maison ou du commerce dans un sirop léger = **77 calories**

298 par portion

Salade-repas à la grecque

QUANTITÉ › *3 portions* / **CALORIES** › *263 par portion*

INGRÉDIENTS

SALADE

1/2	tasse (125 ml) de féta léger, émietté
1/2	tasse (125 ml) de tofu ferme aux fines herbes, émietté
1	concombre, coupé en demi-rondelles
1/2	poivron jaune, coupé en lanières
1/2	poivron vert, coupé en lanières

2	tomates, coupées en cubes
1/4	oignon rouge, tranché finement
1/2	tasse (125 ml) d'olives Kalamata dénoyautées
2	c. à soupe (30 ml) de persil plat frais, haché finement

VINAIGRETTE

2	c. à soupe (30 ml) d'huile d'olive
2	c. à soupe (30 ml) de vinaigre balsamique
	Sel et poivre, au goût

PRÉPARATION

1. Dans un grand bol, mélangez bien tous les ingrédients de la salade. Réservez.

2. Dans un autre bol, combinez les ingrédients de la vinaigrette.

3. Versez la vinaigrette sur la salade et mélangez. Laissez mariner au réfrigérateur au moins 1 heure.

SI VOUS AJOUTEZ...

½ pain pita de blé entier grillé au four quelques minutes et tranché en triangles comme des croustilles = **60 calories**

323 par portion

SALADE DE PÂTES AU PESTO ET AUX CREVETTES

QUANTITÉ › *2 portions* / **CALORIES** › *307 par portion*

INGRÉDIENTS

3/4   tasse (180 ml) de pâtes de blé entier

1/4   poivron rouge, coupé en petits dés

1/4   poivron vert, coupé en petits dés

1/2   oignon, haché finement

1   tasse (250 ml) de bébés épinards ou de roquette

1/2   tasse (125 ml) de crevettes

2   c. à soupe (30 ml) de pesto maison ou du commerce

1   c. à soupe (15 ml) de parmesan frais, râpé

PRÉPARATION

1. Faites cuire les pâtes, jusqu'à ce qu'elles soient al dente*. Égouttez et laissez refroidir.

2. Dans un poêlon antiadhésif, faites revenir les poivrons et l'oignon pour les attendrir. Ajoutez les crevettes et faites-les dorer. Retirez du feu.

3. Mélangez les pâtes refroidies et le pesto. Incorporez le parmesan et le mélange de crevettes. Mélangez bien.

4. Ajoutez les épinards ou la roquette au moment de servir. Servez chaud ou froid.

 EN GUISE DE DESSERT...
½ tasse (125 ml) de fraises et bleuets
= 34 calories

341 par portion

*Jusqu'à ce que les pâtes soient cuites et légèrement craquantes sous la dent

Salade de pommes de terre aux œufs

QUANTITÉ › *1 portion* / **CALORIES** › *364 par portion*

INGRÉDIENTS

2	œufs durs, coupés en gros morceaux
1/4	tasse (60 ml) de crème sure sans gras
2	c. à soupe (30 ml) de ciboulette, hachée finement
1/4	poivron rouge, coupé finement
1/4	poivron vert, coupé finement

1/4	oignon, haché finement
1/2	branche de céleri, hachée finement
1	tasse (250 ml) de pommes de terre au choix, cuites et coupées en morceaux
	Sel et poivre, au goût

PRÉPARATION

Dans un grand bol, mélangez tous les ingrédients. Réfrigérez. Servez froid.

SI VOUS AJOUTEZ...

½ tasse (125 ml) de jus de légumes style V8 faible en sodium = **28 calories**

392 par portion

BURRITO AUX ŒUFS

QUANTITÉ › *1 portion*
CALORIES › *218 par portion*

INGRÉDIENTS

1	œuf cuit dur
1	c. à soupe (15 ml) de mayonnaise légère
1	tortilla de blé entier
2	c. à soupe (30 ml) de salsa douce ou piquante, au choix
	Quelques feuilles de laitue ou de bébés épinards
	Sel et poivre, au goût

PRÉPARATION

1. Dans un bol, mélangez l'œuf et la mayonnaise. Salez et poivrez.

2. Déposez le mélange d'œuf au centre de la tortilla.

3. Garnissez de laitue et de salsa.

4. Repliez les extrémités et roulez. Réfrigérez.

 SI VOUS AJOUTEZ...
1 tasse (250 ml) de salade verte
1 c. à thé (5 ml) de vinaigrette allégée
1 fruit frais au choix
= **environ 90 calories** (selon le choix du fruit)

308 par portion

Salade de rôti de bœuf épicé

QUANTITÉ › *2 portions* / **CALORIES** › *358 par portion*

INGRÉDIENTS

SALADE

1	tasse (250 ml) de feuilles de laitue, déchiquetées
1	tasse (250 ml) de jeunes épinards, déchiquetés
1	tasse (250 ml) de tomates cerises, coupées en deux

1/4	concombre, coupé en petits dés
1/4	oignon rouge, haché finement
1/3	lb (150 g) de rôti de bœuf cuit, tranché en lanières fines
	Sel et poivre, au goût

VINAIGRETTE

2	c. à soupe (30 ml) de jus de pomme
1/2	c. à soupe (7 ml) de vinaigre balsamique
1/2	c. à soupe (7 ml) de miel
1/2	c. à thé (2 ml) de moutarde de Dijon

1/4	c. à thé (1 ml) d'ail haché
2	c. à soupe (30 ml) d'huile d'olive
	Tabasco, au goût

PRÉPARATION

1. Dans un petit bol, mélangez tous les ingrédients de la vinaigrette. Réfrigérez.
2. Dans un bol, mélangez les ingrédients de la salade. Réfrigérez.
3. Ajoutez la vinaigrette seulement au moment de servir.

DÉLICIEUX POTAGE AUX LENTILLES

QUANTITÉ › *4 portions* / **CALORIES** › *156 par portion*

INGRÉDIENTS

1	tasse (250 ml) de chacun des légumes suivants, coupés en dés : carottes, céleri, navet, panais et oignon
3	tasses (750 ml) de bouillon de poulet à faible teneur en gras et en sodium
2	tasses (500 ml) d'eau
1	boîte de 19 oz (540 ml) de tomates en dés aux fines herbes
1	tasse (250 ml) de lentilles rouges non cuites, bien rincées
1	c. à thé (5 ml) de fines herbes italiennes
	Sel et poivre, au goût

PRÉPARATION

1. Dans une grande casserole, faites revenir les légumes. Ajoutez le bouillon de poulet, l'eau et les tomates. Incorporez les lentilles. Portez à ébullition.

2. Ajoutez les herbes. Salez et poivrez.

3. Couvrez et laissez mijoter de 20 à 30 minutes, ou jusqu'à ce que les lentilles et les légumes soient tendres.

4. Passez au mélangeur jusqu'à l'obtention d'une substance lisse. Servez.

 SI VOUS AJOUTEZ...
2 craquelins Ryvita Multigrains
30 g de fromage cheddar faible en gras = **162 calories**

318 par portion

PAIN PITA À LA DINDE ET AUX CANNEBERGES

QUANTITÉ › *1 portion* / **CALORIES** › *353 par portion*

INGRÉDIENTS

2	oz (60 g) de dinde hachée, cuite
1	c. à soupe (15 ml) de yogourt nature faible en gras
1	c. à soupe (15 ml) de mayonnaise faible en gras
1	c. à soupe (15 ml) de canneberges séchées
1	c. à soupe (15 ml) de poivron vert, coupé en petits dés
1	c. à soupe (15 ml) de céleri haché
1	pita de blé entier
	Quelques feuilles de laitue
	Sel et poivre, au goût

PRÉPARATION

1. Dans un bol, mélangez tous les ingrédients, sauf la laitue.

2. Déposez le mélange et la laitue dans le pain pita ouvert en deux, de manière à faire deux pochettes.

SALADE DE CAROTTES RÂPÉES

QUANTITÉ › *2 portions* / **CALORIES** › *42 par portion*

INGRÉDIENTS

1	tasse (250 ml) de carottes râpées
1	c. à soupe (15 ml) de vinaigrette italienne faible en gras
1	c. à soupe (15 ml) de yogourt nature sans gras
	Sel et poivre, au goût

PRÉPARATION

1. Mélangez bien tous les ingrédients.

2. Réfrigérez. Laissez mariner quelques heures.

CARI DE POULET

QUANTITÉ › *2 portions* / **CALORIES** › *261 par portion*

INGRÉDIENTS

1	c. à soupe (15 ml) d'huile d'olive ou de canola
1/2	oignon haché
1	gousse d'ail hachée
1	poitrine de poulet, coupée en cubes
1/2	boîte (284 ml) de bouillon de poulet à faible teneur en gras et en sodium

1	c. à soupe (15 ml) de cari
1	c. à thé (5 ml) de cumin
1/2	tasse (125 ml) de yogourt nature sans gras
	Sel et poivre, au goût

PRÉPARATION

1. Chauffez l'huile dans une casserole, faites-y dorer l'oignon et l'ail, sans trop les cuire. Ajoutez les cubes de poulet, le cari et le cumin. Faites saisir.

2. Ajoutez le bouillon de poulet. Salez et poivrez.

3. Laissez mijoter environ 30 minutes à découvert, en remuant de temps en temps.

4. Ajoutez le yogourt et mélangez délicatement. Servez.

 SI VOUS AJOUTEZ...
1/3 tasse (85 ml) de riz brun cuit
= 79 calories
½ tasse (125 ml) de bouquets de brocoli cuit vapeur
= 29 calories

369 par portion

Pain de viande à l'italienne

QUANTITÉ › *4 portions*
CALORIES › *270 par portion*

INGRÉDIENTS

1	petit oignon, haché finement
1/2	tasse (125 ml) de poivron vert, coupé finement
1/2	tasse (125 ml) de carottes râpées
1	œuf
1/2	tasse (125 ml) de chapelure à l'italienne
1/4	tasse (60 ml) de lait écrémé
1	lb (450 g) de bœuf haché extra-maigre
1/2	boîte de 14 oz (200 ml) de sauce tomate aux fines herbes à l'italienne
1	c. à soupe (15 ml) de fines herbes à l'italienne

PRÉPARATION

1. Préchauffez le four à 350 °F (180 °C).

2. Dans un grand bol, mélangez avec les mains tous les ingrédients, sauf la sauce tomate.

3. Déposez le mélange dans un moule en pyrex. Pressez légèrement dans le moule. Versez la sauce tomate.

4. Couvrez d'un papier aluminium. Faites cuire au four environ 1 ½ heure. Laissez refroidir.

5. Tranchez et servez.

SI VOUS AJOUTEZ...

½ tasse (125 ml) de haricots jaunes et verts vapeur
= **24 calories**

294 par portion

Potage carottes-coco-cari

QUANTITÉ › *3 portions* / **CALORIES** › *183 par portion*

INGRÉDIENTS

1	c. à thé (5 ml) de margarine non hydrogénée
1	oignon haché grossièrement
2	c. à thé (10 ml) de cari en poudre
5 1/2	tasses (1,5 l) d'eau
1	c. à soupe (15 ml) de bouillon de légumes concentré

1 1/8	lb (500 g) de carottes pelées, coupées en rondelles
2	c. à soupe (30 ml) de jus de citron
1/2	tasse (125 ml) de lait de coco

PRÉPARATION

1. Dans une grande casserole, faites fondre la margarine à feu moyen.

2. Ajoutez l'oignon et le cari et cuire. Faites cuire environ 1 minute.

3. Ajoutez 4 tasses d'eau et le bouillon de légumes concentré. Mélangez et amenez à ébullition.

4. Ajoutez les carottes. Amenez de nouveau à ébullition.

5. Couvrez partiellement la casserole. Laissez mijoter de 15 à 20 minutes.

6. Éteignez le feu.

7. Réduisez les ingrédients en purée à l'aide d'un pied mélangeur*.

8. Ajoutez le jus de citron et le lait de coco. Mélangez.

9. Agrémentez d'un filet de lait de coco, si désiré.

* Vous pouvez utiliser un mélangeur classique sur socle, mais il vous faudra attendre que le mélange refroidisse avant de le réduire en purée. Vous devrez par la suite le remettre sur le feu pour le réchauffer et y ajouter les autres ingrédients.

 SI VOUS AJOUTEZ...
40 g de fromage cheddar faible en m.g.
= **113 calories**
1 tranche de pain de blé entier
= **70 calories**

366 par portion

SALADE DE QUINOA ET DE LENTILLES

QUANTITÉ › *2 portions* / **CALORIES** › *373 par portion*

INGRÉDIENTS

1	tasse (250 ml) de lentilles vertes ou brunes, cuites selon le mode de préparation de l'emballage et refroidies
1 1/2	tasse (375 ml) de quinoa, cuit selon le mode de préparation de l'emballage et refroidi
1	poivron rouge haché, coupé en petits morceaux
1	oignon vert, coupé en fines rondelles
2	tasses (500 ml) de roquette hachée grossièrement
2	branches de céleri, émincées
1	tasse (250 ml) de carottes râpées
1/4	tasse (60 ml) de vinaigrette italienne sans gras
1 3/4	oz (50 g) de féta faible en m.g., coupé en petits cubes
1	c. à soupe (15 ml) de menthe fraîche, hachée finement

PRÉPARATION

1. Faites cuire les lentilles et le quinoa en suivant les indications sur l'emballage. Laissez refroidir une dizaine de minutes.

2. Combinez les légumes dans un grand bol.

3. Ajoutez le quinoa, les lentilles et la vinaigrette.

4. Mélangez la salade délicatement.

5. Parsemez de féta et de menthe. Servez.

Ayez toujours avec vous une bouteille de 500 ml d'eau et prenez-en une gorgée chaque fois que vous en avez l'occasion. N'attendez pas d'avoir soif ! En plus d'être indispensable au bon fonctionnement de votre corps, l'eau ne contient pas de calories!

LES
COLLATIONS

100 calories

1/2   tasse (125 ml) de légumes crus, au choix

105 calories

1/2   tasse (125 ml) de jus de légumes
30   g de fromage partiellement écrémé

110 calories

1/2   tasse (125 ml) de yogourt aromatisé sans gras
1   galette de riz nature

115 calories

1/2   tasse (125 ml) de fromage cottage
2   tranches de melon d'eau

100 calories

2 c. à soupe (30 ml) de fèves de soya grillées du commerce

105 calories

30 g de fromage partiellement écrémé

1/2 tasse (125 ml) de crudités

120 calories

1 barre de fruits séchés du commerce de 35 g

125 calories

1/2 tasse (125 ml) de jus de légumes

6 craquelins de blé entier faibles en gras

60 calories

6   tomates miniatures

6   tranches de concombre

1   c. à soupe (15 ml) de trempette à base de yogourt sans gras

120 calories

1   petit muffin maison faible en gras

120 calories

1   pouding de soya du commerce

130 calories

1/2   barre protéinée du commerce

80 calories

1/4   tasse (60 ml) de fromage cottage sans gras

1/2   poire, coupée en dés

90 calories

1/2   tasse (125 ml) de salade de fruits frais
maison ou du commerce, dans un sirop léger

115 calories

1/2   banane

1   c. à soupe (15 ml) de graines de tournesol

120 calories

1   tasse (250 ml) de boisson de soya
à faible teneur en sucre

100 calories

1/2 tasse (125 ml) de pouding au chocolat à base de lait écrémé, sans sucre ajouté

100-120 calories

10 craquelins de riz nature

115 calories

MINIBROCHETTES

30 g de fromage partiellement écrémé

10 raisins verts ou rouges

140 calories

1/2 tasse (125 ml) de fromage cottage sans gras ou à 1 % de m.g.

4 petits craquelins de blé entier faibles en gras

60 calories

1/2 tasse (125 ml) de compote de
pommes (ou autre fruit) maison ou
du commerce, sans sucre ajouté

100 calories

1/2 tasse (125 ml) de yogourt sans gras
1 c. à soupe (15 ml) de céréales
de type granola

90 calories

1 grosse orange

100 calories

1 grosse pomme

45 calories

YOGOURT À LA POMME

1/2	tasse (125 ml) de yogourt à la vanille sans gras
2	c. à soupe (30 ml) de jus de pommes sans sucre ajouté

100 calories

1	petite banane

100 calories

2	c. à soupe (30 ml) de hoummos
1	galette de riz nature

105 calories

1	tasse de petits fruits des champs
1	yogourt 0 % de m.g.

Une petite fringale ? Celle-ci est peut-être causée par la fatigue ou l'ennui. Lorsque cela se produit, donnez-vous de 10 à 15 minutes pour tenter de penser à autre chose en vous consacrant à une activité. Vous verrez, dans bien des cas, l'envie passe d'elle-même.

Commencez votre repas du midi ou du soir par une soupe ou une salade faible en calories. Ainsi, vous aurez probablement moins d'appétit au moment du plat principal.

LES
SOUPERS

Les laitues

2 TASSES DE FEUILLES EN MORCEAUX: DE 20 À 40 KCAL

> Laitue Boston
> Laitue frisée
> Laitue iceberg

> Laitue romaine
> Épinards
> Endives

> Chou rouge ou vert
> Kale
> Radicchio

> Roquette (aragula)
> Scarole

+

Les sauces
(1 CHOIX)
(5 À 40 KCAL)

> Mayonnaise allégée (1 c. à soupe)
> Vinaigrette italienne ou crémeuse allégée (1 c. à soupe)
> Sauce teriyaki, faible en sodium (1 c. à soupe)
> Vinaigre balsamique (1 c. à soupe)
> Vinaigre de cidre (1 c. à soupe)
> Vinaigre de vin rouge (1 c. à soupe)
> Vinaigrette César, faible en calories (1 c. à soupe)
> Vinaigrette française, faible en calories (1 c. à soupe)
> Vinaigrette Mille-Îles, faible en calories (1 c. à soupe)
> Vinaigrette ranch, sans gras (1 c. à soupe)
> Huile d'olive (1 c. à thé)
> Jus de citron
> Sauce soya, faible en sodium (1 c. à soupe)
> Vinaigre de cidre (1 c. à soupe)
> Faites votre propre sauce avec du yogourt nature à 0 % de m.g. et des épices, telles que du cari ou du piment d'Espelette, ou bien de la moutarde de Dijon.

+

Les viandes et substituts
(1 CHOIX)
(75 À 200 KCAL)

> Poitrine de dinde (viande froide): 75 g ou 3 tranches
> Crevettes: 75 g
> Maquereau: 75 g
> Jambon (viande froide): 75 g ou 3 tranches
> Poulet haché maigre, cuit: 75 g
> Poitrine de poulet rôti: 75 g
> Thon (blanc en conserve, dans l'eau): 75 g
> Saumon fumé: 75 g
> Saumon cuit au four: 75 g
> Crabe: 75 g
> 2 œufs
> Tofu: 1/3 tasse
> Végépâté
> Edamames: 1/2 tasse
> Pois chiches (garbanzos): 3/4 tasse
> Lentilles vertes: 3/4 tasse
> Gourganes: 3/4 tasse
> Haricots blancs: 3/4 tasse
> Haricots noirs (black turtle): 3/4 tasse
> Haricots rouges: 3/4 tasse

Les légumes et garnitures

(ENTRE 2 ET 3 CHOIX)
(ENVIRON 50 KCAL)

> Tomates
> 2 c. à soupe de tomates séchées au soleil (épongez l'huile le plus possible)
> Concombres
> Câpres
> Piments forts
> ¼ tasse d'aubergine marinée (sans huile)
> Carottes râpées
> Poivrons de différentes couleurs
> Pommes
> Poires
> Pamplemousses
> Framboises
> Fraises
> Oranges

> 10 raisins frais
> Oignons
> Oignons verts
> Poireaux
> Pois mange-tout
> Brocoli
> Choux-fleurs
> Asperges blanchies
> Piments jalapeno
> Radis
> Choux
> Betteraves
> Céleris
> Champignons
> Fenouils
> 1 cœur de palmier
> ¼ tasse de cœur d'artichaut
> Fèves germées
> Haricots
> Luzerne

Ajouts pour la phase de maintien

(1 CHOIX)
(25 À 105 KCAL)

> Fromage suisse, cheddar ou mozzarella faible en m.g.: 25 g
> Fromage de chèvre à 21 % de m.g.: 25 g
> Fromage féta à 21 % de m.g.: 25 g
> Fromage bleu: ¼ tasse
> Olives noires: 3/8 tasse
> ¼ avocat
> Fromage parmesan râpé: 1 c. à soupe
> Maïs en grains: ½ tasse
> Canneberges séchées: ¼ tasse
> 3 dattes hachées
> Amandes: 2 c. à soupe
> Graines de citrouilles: ¼ tasse
> Noisettes: 2 c. à soupe
> Pacanes: 2 c. à soupe
> Pistaches: 2 c. à soupe

Total

> Salade ordinaire: **de 175 à 315 kcal**
> Salade avec ajout pour la phase de maintien: **de 230 à 460 kcal**

Référence: Marguerite Desaulniers et Mireille Dubost, *Table de composition des aliments*, 3e éd., Université de Montréal, 2007.

PÂTÉ CHINOIS AUX PATATES DOUCES ET AU BISON
(OU CHEVREUIL OU BŒUF)

QUANTITÉ › *4 portions* / **CALORIES** › *310 par portion*

INGRÉDIENTS

2	grosses patates douces
1	tasse (250 ml) de légumes au choix, sauf des carottes
14	oz (400 g) de viande de bison, de chevreuil, de cheval maigre ou de bœuf extra-maigre
2	c. à soupe (30 ml) de bouillon de bœuf faible en gras
1	pincée d'épices au choix, ou quelques gouttes de sauce piquante de type Tabasco ou autre
1	boîte de 14 oz (398 ml) de maïs ou de maïs en crème

PRÉPARATION

1. Préchauffez le four à 350 °F (180 °C).

2. Dans une grande casserole remplie à moitié d'eau, faites cuire les patates douces et les légumes choisis.

3. Entre-temps, faites brunir la viande dans un poêlon. Ajoutez le bouillon de bœuf et les épices. Mélangez bien.

4. Lorsque les légumes sont cuits, égouttez-les. Écrasez-les pour en faire une purée.

5. Dans un plat rectangulaire allant au four, étendez la viande, le maïs et la purée de légumes.

6. Faire cuire au four environ 40 minutes.

7. Servez une portion de laitue assaisonnée avec chaque assiette.

Tofu à l'orientale

QUANTITÉ › *2 portions* / **CALORIES** › *290 par portion*

INGRÉDIENTS

1	c. à soupe (15 ml) d'huile de canola
1/2	lb (225 g) de tofu ferme nature
1	oignon haché finement
1	gousse d'ail hachée finement
1	c. à soupe (15 ml) de gingembre frais, haché
3	c. à soupe (45 ml) de sauce teriyaki à faible teneur en sodium

1	tasse (250 ml) de pois mange-tout
1	poivron rouge en lanières
1	tasse (250 ml) de maïs miniature en conserve, égoutté
1/2	tasse (125 ml) de jus d'orange

PRÉPARATION

1. Dans un poêlon antiadhésif, faites chauffer à feu moyen l'huile. Faites sauter le tofu avec l'oignon, le poivron rouge, l'ail et le gingembre.

2. Ajoutez la sauce teriyaki, les pois mange-tout, le maïs et le jus d'orange. Mélangez bien. Laissez cuire encore quelques minutes.

3. Servez.

 SI VOUS AJOUTEZ...
½ tasse (125 ml)
de vermicelle de riz cuit
= 101 calories

391 par portion

Cordons-bleus de veau *(ou de dinde)*

QUANTITÉ › *2 portions* / **CALORIES** › *376 par portion*

INGRÉDIENTS

2	côtelettes de veau ou de dinde de 3 oz (90 g) chacune, tranchées finement
2	tranches de jambon cuit, style Forêt-Noire
1	gousse d'ail
2	c. à soupe (30 ml) de persil frais, haché

2	c. à soupe (30 ml) d'huile d'olive
1/2	tasse (125 ml) de bouillon de légumes sans gras
2	c. à soupe (30 ml) de crème sure sans gras
	Sel et poivre, au goût

PRÉPARATION

1. Aplatissez le veau (ou la dinde) à l'aide d'un attendrisseur de viande. Couvrez chaque morceau de 1 tranche de jambon.

2. Hachez l'ail. Passez-le au mortier avec le persil et 1 c. à soupe (15 ml) d'huile d'olive, afin de former une pâte épaisse. Salez et poivrez légèrement.

3. Étendez la pâte sur le jambon.

4. Roulez les escalopes et fixez-les avec des cure-dents.

5. Dans un poêlon, faites chauffer 1 c. à soupe (15 ml) d'huile d'olive. Faites cuire à feu moyen les roulades, jusqu'à ce qu'elles soient dorées.

6. Versez le bouillon de légumes. Poursuivez la cuisson à feu doux à couvert pendant 10 minutes.

7. Ajoutez la crème sure et ajustez l'assaisonnement, au goût.

8. Déposez les roulades dans deux assiettes et nappez-les de sauce. Servez.

SI VOUS AJOUTEZ...
½ tasse (125 ml) de haricots jaunes et verts vapeur
= **24 calories**

400 par portion

BŒUF SAUTÉ AUX POIVRONs

QUANTITÉ › *2 portions*
CALORIES › *355 par portion*

INGRÉDIENTS

1/2	c. à soupe (7 ml) d'huile d'olive
1/2	oignon émincé
1/2	gousse d'ail hachée
1/2	lb (225 g) de bavette de bœuf maigre, coupée en lanières
1/2	poivron rouge, coupé en lanières
1/2	poivron vert, coupé en lanières
1/2	c. à soupe (7 ml) de sauce soya à faible teneur en sodium
1/2	c. à soupe (7 ml) de miel
1/2	c. à soupe (7 ml) de romarin frais, haché
	Sel et poivre, au goût

PRÉPARATION

1. Dans un poêlon antiadhésif, faites chauffer l'huile. Faites revenir l'oignon et l'ail.

2. Ajoutez les morceaux de bœuf. Faites cuire à feu élevé, jusqu'à ce qu'ils soient bien dorés.

3. Ajoutez les poivrons. Faites-les sauter environ 2 minutes. Versez la sauce soya et le miel. Salez et poivrez. Parsemez de romarin. Poursuivez la cuisson quelques minutes en remuant. Servez.

 SI VOUS AJOUTEZ...
½ tasse (125 ml) de riz brun cuit
= 115 calories

470 par portion

Filets de tilapia et gratin de légumes

QUANTITÉ › *2 portions* / **CALORIES** › *255 par portion*

INGRÉDIENTS

12	oz (300 g) de tilapia
1	c. à soupe (15 ml) de jus de citron
3	c. à soupe (45 ml) de farine
1/2	c. à soupe (7 ml) d'huile d'olive
1/2	poivron rouge, tranché finement
1/2	petite tomate, coupée en dés

1/2	petite courgette, coupée en demi-lunes
1/2	tasse (125 ml) de haricots verts, cuits
3	c. à soupe (45 ml) de chapelure
	Basilic frais haché, au goût
	Persil frais haché, au goût
	Sel et poivre, au goût

PRÉPARATION

1. Préchauffez le four à 400 °F (200 °C).

2. Arrosez le poisson de jus de citron. Salez et poivrez. Enfarinez le poisson, puis secouez-le pour en retirer l'excédent de farine.

3. Dans un poêlon, faites chauffer 1 c. à soupe (15 ml) d'huile. Faites frire à feu moyen le poisson pendant 5 minutes de chaque côté, ou jusqu'à ce qu'il soit cuit. Gardez au chaud.

4. Rincez le poêlon. Faites chauffer 1 c. à soupe (15 ml) d'huile. Faites revenir le poivron rouge, la tomate et la courgette pendant 5 minutes. Ajoutez les haricots et remuez. Salez et poivrez.

5. Déposez les légumes dans un plat de taille moyenne allant au four.

6. Mélangez la chapelure à 1 c. à soupe (15 ml) d'huile, au basilic et au persil. Parsemez le mélange sur les légumes. Faites cuire au four de 8 à 10 minutes. Servez le poisson avec les légumes.

SI VOUS AJOUTEZ...

½ tasse (125 ml) de boulgour

= 80 calories

335 par portion

MÉDAILLONS DE PORC AUX AGRUMES

QUANTITÉ › *2 portions* / **CALORIES** › *254 par portion*

INGRÉDIENTS

1/2 lb (225 g) de filets de porc, coupés en médaillons d'environ 5 ml

1/2 petit oignon haché

1/2 c. à thé (2 ml) de zeste de pamplemousse

1 c. à soupe (15 ml) de jus de pamplemousse

1/4 tasse (60 ml) de jus d'orange

1 c. à soupe (15 ml) de persil frais

1 c. à soupe (15 ml) d'huile d'olive

1 c. à soupe (15 ml) de bouillon de poulet faible en gras

1/2 c. à soupe (7 ml) de compote de pommes sans sucre ajouté

1/2 pamplemousse, pelé et en quartiers

1/2 orange, pelée et en quartiers

Sel et poivre, au goût

PRÉPARATION

1. Dans un sac Ziploc ou un autre contenant hermétique, mélangez la viande avec l'oignon, le zeste de pamplemousse, les jus, le sel, le poivre et le persil. Laissez mariner de 3 à 4 heures.

2. Égouttez les médaillons, mais conservez la marinade.

3. Dans un poêlon antiadhésif, faites chauffer l'huile. Faites revenir les médaillons des 2 côtés, jusqu'à ce qu'ils soient bien dorés.

4. Combinez la marinade, le bouillon de poulet et la compote de pommes. Versez sur les médaillons. Couvrez et laissez mijoter environ 7 minutes.

5. Ajoutez le pamplemousse et l'orange. Laissez chauffer quelques minutes. Servez.

SI VOUS AJOUTEZ...

½ tasse (125 ml) de pommes de terre en purée (faite avec du lait écrémé et de la margarine non hydrogénée)

= **129 calories**

383 par portion

BROCHETTES DE CREVETTES ET DE PÉTONCLES GRILLÉS

QUANTITÉ › *2 portions* / **CALORIES** › *194 par portion*

INGRÉDIENTS

MARINADE

2	c. à soupe (30 ml) d'huile d'olive
1	c. à soupe (15 ml) de jus de pomme sans sucre ajouté

1/2	gousse d'ail hachée
1/2	c. à soupe (7 ml) de persil frais, haché
	Sel et poivre, au goût

BROCHETTES

4	pétoncles moyens crus
4	grosses crevettes crues, décortiquées
1/2	petit poivron rouge, coupé en 6 morceaux

1/2	courgette, coupée en 6 tranches
6	petits abricots séchés

PRÉPARATION

1. Dans un sac Ziploc ou un autre contenant hermétique, mélangez tous les ingrédients de la marinade. Ajoutez les pétoncles et les crevettes. Laissez mariner 30 minutes au réfrigérateur.

2. Préchauffez le gril du four à feu vif ou le barbecue.

3. Répartissez et enfilez les fruits de mer, le poivron, la courgette et les abricots sur 2 longues brochettes.

4. Déposez les brochettes sur la grille d'une rôtissoire et passez-les sous le gril de 8 à 10 minutes, en les tournant de temps en temps. À la mi-cuisson, badigeonnez les brochettes avec la marinade, pour les empêcher de sécher. Servez.

 SI VOUS AJOUTEZ...
½ tasse (125 ml) de riz à l'ail
= **157 calories**

351 par portion

RIZ À L'AIL

QUANTITÉ › *2 portions*
CALORIES › *157 par portion*

INGRÉDIENTS

2	c. à thé (10 ml) d'huile végétale
1/2	gousse d'ail hachée finement
1	tasse (250 ml) de riz brun cuit
	Sel et poivre, au goût

PRÉPARATION

1. Dans un poêlon antiadhésif, faites chauffer l'huile. Faites revenir à feu doux l'ail, jusqu'à ce qu'il soit doré.

2. Ajoutez le riz, le sel et le poivre. Poursuivez la cuisson en remuant pendant 1 minute. Servez.

FRITTATA AUX LÉGUMES

QUANTITÉ › *1 portion /* **CALORIES ›** *283 par portion*

INGRÉDIENTS

1	c. à thé (5 ml) d'huile de canola
1	tasse (250 ml) de légumes variés (carottes, courgettes, poivrons, poireaux ou autres), râpés
2	œufs

2	c. à soupe (30 ml) de fromage cheddar partiellement écrémé, râpé
1	c. à thé (5 ml) de fines herbes italiennes
	Sel et poivre, au goût

PRÉPARATION

1. Préchauffez le four en sélectionnant la fonction gril ou broil.

2. Dans un petit poêlon antiadhésif allant au four, faites chauffer l'huile. Faites cuire les légumes, jusqu'à ce qu'ils soient tendres. Assaisonnez.

3. Dans un bol, battez les œufs. Versez sur les légumes. Incorporez le fromage.

4. Faites cuire à feu doux environ 5 minutes, ou jusqu'à ce que la frittata soit prise. Terminez la cuisson au four, sous le gril, afin de bien dorer la surface. Laissez refroidir quelques minutes et servez.

SI VOUS AJOUTEZ...

1 tasse (250 ml) de salade mesclun
= **9 calories**

1 c. à soupe (15 ml) de vinaigrette allégée = **18 calories**

1 petit fruit frais au choix
= **72 calories**

382 par portion

Poitrine de dinde crémeuse aux herbes

QUANTITÉ › *2 portions* / **CALORIES** › *189 par portion*

INGRÉDIENTS

1	c. à soupe (15 ml) d'huile d'olive

SAUCE

1   c. à soupe (15 ml) de fécule de maïs

1/3   tasse (80 ml) de lait écrémé

1/3   tasse (80 ml) de bouillon de légumes sans gras

1/3   lb (150 g) de poitrine de dinde tranchée

1/2   c. à soupe (7 ml) de moutarde de Dijon

1/2   c. à thé (2 ml) de miel

1/2   c. à thé (2 ml) d'herbes séchées mélangées

Sel et poivre, au goût

PRÉPARATION

Dans un poêlon antiadhésif, faites chauffer l'huile. Faites cuire à feu doux la dinde pendant environ 20 minutes, ou jusqu'à ce qu'elle soit cuite et bien dorée. Réservez au chaud.

SAUCE

1. Entre-temps, dans une casserole, délayez la fécule de maïs dans un peu de lait, en le chauffant à feu doux. Ajoutez le reste du lait et le bouillon de légumes. Augmentez le feu à moyen à vif et laissez épaissir, en remuant constamment jusqu'à ébullition. Laissez mijoter 2 minutes.

2. Incorporez la moutarde, le miel, les herbes, le sel et le poivre. Laissez mijoter jusqu'à ce que la sauce soit très chaude. Servez la poitrine de dinde nappée de sauce.

SI VOUS AJOUTEZ...

½ tasse (125 ml) de légumes vapeur (brocoli, carottes, choux-fleurs)
= **25 calories**

½ tasse (125 ml) de riz basmati
= **120 calories**

334 par portion

SAUMON POÊLÉ À LA MOUTARDE
(RECETTE D'UN PARTICIPANT)

QUANTITÉ › *2 portions* / **CALORIES** › *190 par portion*

INGRÉDIENTS

180   g de filet de saumon de l'Atlantique, frais

Moutarde de Dijon

Épices à steak

PRÉPARATION

1. Étendez de la moutarde de Dijon sur les 2 côtés du filet de saumon. Ajoutez les épices à steak.

2. Dans un poêlon antiadhésif muni d'un couvercle, faites cuire à feu moyen à vif le saumon environ 10 minutes, en le retournant à mi-cuisson*.

*En cuisant, la moutarde crée une légère croûte ressemblant à de la panure sur le saumon.

SI VOUS AJOUTEZ...

2 tasses de légumes cuits à la vapeur ou

2 tasses de salade avec

2 c. à soupe de vinaigrette sans gras

= 50 calories

240 par portion

Crevettes aux tomates
(Recette d'un participant)

QUANTITÉ › *2 portions* / **CALORIES** › *250 par portion*

INGRÉDIENTS

2 1/2	gousses d'ail réduites en purée
1	pincée de flocons de piment fort
250	g de crevettes moyennes, décortiquées et déveinées
1	c. à soupe (15 ml) d'huile de canola
1/2	boîte de 28 oz (796 ml) de tomates entières à faible teneur en sodium
1/2	tasse (125 ml) de brocoli, coupé en morceaux
1/2	tasse (125 ml) de chou-fleur, coupé en morceaux
1	pincée de basilic séché
1	pincée d'origan séché
1	pincée de sel (facultatif)
	Poivre, au goût

PRÉPARATION

1. Dans un bol, mélangez la moitié de l'ail et les flocons de piment fort. Ajoutez les crevettes. Mélangez pour bien les enrober.

2. Dans un poêlon, chauffez à feu moyen l'huile. Ajoutez les crevettes. Faites-les sauter 1 minute de chaque côté. Réservez dans un bol.

3. Faites suer le reste de l'ail quelques secondes dans le poêlon. Ajoutez les tomates et leur jus, le brocoli, le chou-fleur, les herbes et le sel. Poivrez.

4. Portez à ébullition. Réduisez le feu et laissez mijoter 10 minutes. Remettez les crevettes dans le poêlon et remuez. Laissez cuire 2 minutes, ou jusqu'à ce que les crevettes soient chaudes. Servez.

CÔTELETTES DE PORC À LA SAUCE AIGRE-DOUCE ET AUX ANANAS

QUANTITÉ › *2 portions* / **CALORIES** › *295 par portion*

INGRÉDIENTS

1/2   c. à soupe (7 ml) d'huile de canola

2   côtelettes de porc d'environ 1/3 lb (150 g) chacune, désossées, le gras enlevé

1   c. à soupe (15 ml) de ketchup (genre Heinz)

1   c. à soupe (15 ml) de vinaigre balsamique

1/2   c. à soupe (7 ml) d'édulcorant Splenda (facultatif)

1/2   tasse (125 ml) d'ananas en morceaux

1/2   c. à soupe (7 ml) de sauce soya à faible teneur en sodium (sel)

PRÉPARATION

1.   Dans un poêlon antiadhésif, faites chauffer l'huile. Faites revenir les côtelettes, jusqu'à ce qu'elles soient bien dorées et cuites des 2 côtés.

2.   Dans un bol, mélangez bien tous les autres ingrédients. Versez sur les côtelettes. Poursuivez la cuisson, jusqu'à ce que le tout soit chaud. Servez.

SI VOUS AJOUTEZ...

1 tasse (250 ml) de courgettes et pois mange-tout cuits vapeur = **50 calories**

EN GUISE DE DESSERT...

½ tasse (125 ml) de jello sans sucre ajouté, saveur au choix = **10 calories**

355 par portion

POISSON À LA MEXICAINE

QUANTITÉ › *2 portions*
CALORIES › *205 par portion*

INGRÉDIENTS

1	c. à soupe (15 ml) d'huile d'olive
1/2	oignon haché finement
1/2	poivron rouge, coupé en petits dés
1/2	poivron vert, coupé en petits dés
1/2	tasse (125 ml) de champignons frais, coupés en tranches
1/2	c. à soupe (7 ml) de vin blanc
1/2	c. à soupe (7 ml) d'édulcorant Splenda (facultatif)
2	filets d'aiglefin d'environ ¼ lb (125 g) chacun
1/2	c. à soupe (7 ml) de jus de citron
	Estragon frais, haché au goût
	Sel et poivre, au goût

PRÉPARATION

1. Dans un poêlon antiadhésif, faites chauffer l'huile. Faites revenir l'oignon, les poivrons et les champignons. Poursuivez la cuisson à feu moyen environ 1 minute.

2. Ajoutez le vin, l'estragon et l'édulcorant Splenda. Mélangez.

3. Entre-temps, salez et poivrez le poisson. Faites-le cuire à la vapeur, jusqu'à ce qu'il se défasse à la fourchette.

4. Ajoutez le jus de citron au mélange de légumes encore chaud. Retirez du feu. Mélangez bien.

5. Servez le poisson garni du mélange de légumes.

SI VOUS AJOUTEZ...

½ tasse (125 ml) de riz brun cuit
mélangé à ¼ tasse (65 ml) de maïs en grains
= 155 calories

360 par portion

Riz fromagé au poulet et aux légumes

QUANTITÉ › *3 portions* / **CALORIES** › *398 par portion*

INGRÉDIENTS

1	c. à soupe (15 ml) d'huile végétale
6	oz (180 g) de poitrines de poulet, désossées et sans peau, coupées en lanières
1/2	poivron rouge haché grossièrement
1 1/2	tasse (375 ml) de bouillon de poulet faible en sodium
3/4	tasse (180 ml) de riz brun instantané, sec
1	tasse (250 ml) d'épinards, hachés grossièrement

1 1/2	oz (50 g) de fromage à la crème faible en gras
1	tasse (250 ml) de brocoli, en morceaux, cuit à la vapeur
1/2	grosse tomate hachée
1	c. à soupe (15 ml) de parmesan faible en m.g.
1/2	tasse (125 ml) d'oignon haché

PRÉPARATION

1. Dans une grande poêle à couvercle, faites chauffer à feu vif l'huile. Déposez le poulet. Faites cuire environ 5 minutes, ou jusqu'à ce que la volaille soit entièrement blanche.

2. Ajoutez le poivron et l'oignon. Faites-les sauter quelques minutes.

3. Incorporez le bouillon de poulet. Portez à ébullition.

4. Ajoutez le riz et portez à ébullition de nouveau. Couvrez. Baissez le feu à moyen et faites mijoter 5 minutes.

5. Ajoutez les épinards et couvrez à nouveau 2 minutes, ou jusqu'à ce que le liquide soit complètement absorbé et les épinards, affaissés.

6. Ajoutez le fromage à la crème, le brocoli et la tomate. Mélangez. Faites cuire en remuant, jusqu'à ce que le fromage ait complètement fondu.

7. Saupoudrez de parmesan et servez.

TARTARE DE SAUMON À LA POMME
(RECETTE D'UN PARTICIPANT)

QUANTITÉ › *2 portions*
CALORIES › *155 par portion*

INGRÉDIENTS

8	oz (200 g) de saumon frais, coupé en dés (spécifiez «qualité sushi» à votre poissonnier)
1	c. à soupe (15 ml) de pomme verte, coupée en dés
1	c. à soupe (15 ml) d'oignon rouge, coupé en dés
2	c. à soupe (30 ml) de yogourt nature sans gras
1	c. à thé (5 ml) de jus de citron
1	concombre, coupé en tranches fines
	Quelques feuilles d'endive
	Menthe, au goût

PRÉPARATION

1. Dans un bol, mélangez les 5 premiers ingrédients.

2. Laissez reposer 15 minutes et servir avec des tranches d'endives et de concombre.

Assurez-vous de manger votre tartare dans les 24 heures, question de fraîcheur et de goût.

 SI VOUS AJOUTEZ...
2 biscuits Ryvita
= 70 calories

225 par portion

Quinoa aux crevettes, au pesto et à la moutarde verte

QUANTITÉ › *3 portions* / **CALORIES** › *281 par portion*

INGRÉDIENTS

1/2	tasse (125 ml) de quinoa, sec
1	c. à soupe (15 ml) d'huile de canola
1	gousse d'ail émincée
9	oz (270 g) de crevettes crues
1/2	tasse (125 ml) d'oignon vert haché
1	tasse (250 ml) de pois mange-tout, coupés grossièrement

1	gros poivron rouge, coupé en dés
2	c. à soupe (30 ml) de pesto au basilic
1	c. à soupe (15 ml) de moutarde aux fines herbes
2	c. à soupe (30 ml) de jus de citron

PRÉPARATION

1. Faites cuire le quinoa en suivant les indications sur l'emballage. Réservez.

2. Dans une poêle antiadhésive, faites chauffer à feu vif l'huile. Ajoutez l'ail. Remuez quelques instants, puis ajoutez les crevettes. Poursuivez la cuisson environ 3 minutes, en remuant constamment, ou jusqu'à ce qu'elles soient roses.

3. Ajoutez l'oignon vert, les pois mange-tout et le poivron rouge. Faites sauter 2 ou 3 minutes.

4. Ajoutez le pesto, la moutarde et le jus de citron. Mélangez. Poursuivez la cuisson encore 2 ou 3 minutes.

5. Servez sur le quinoa.

 EN GUISE DE DESSERT...
1 banane
= 100 calories

381 par portion

POULET AU PAPRIKA ET SALSA FRUITÉE

QUANTITÉ › *2 portions* / **CALORIES** › *201 par portion*

INGRÉDIENTS

POITRINES DE POULET

1	c. à soupe (15 ml) de persil frais, haché finement
2	c. à soupe (30 ml) de jus de lime
1/2	c. à soupe (7 ml) de paprika
6	oz (180 g) de poitrines de poulet, désossées et sans peau

SALSA

1/2	mangue, coupée en dés
1/4	tasse (60 ml) d'oignon rouge haché
1	tasse (250 ml) de tomates, coupées en dés
	Sel et poivre, au goût

PRÉPARATION

1. Préchauffez le four à 400 °F (200 °C).

2. Dans un grand bol, mélangez la moitié du persil, la moitié du jus de lime et le paprika. Frottez les 2 côtés des poitrines de poulet avec ce mélange.

3. Sur une plaque, déposez le poulet et faites cuire au four de 30 à 35 minutes, en le retournant à mi-cuisson.

4. Entre-temps, faites la salsa, mélangez le reste du persil et du jus de lime, la mangue, l'oignon et les tomates.

5. Servez la salsa sur le poulet ou en accompagnement.

VINAIGRETTE À LA LIME

QUANTITÉ › *2 portions de 2 c. à thé (10 ml) pour une salade d'accompagnement* / **CALORIES** › *48 par portion*

INGRÉDIENTS

1/2	c. à thé (2 ml) de vinaigre balsamique
1/2	c. à thé (2 ml) de miel
2	c. à thé (10 ml) d'huile d'olive
1	c. à thé (5 ml) de jus de lime

PRÉPARATION

Dans un bol, mélangez tous les ingrédients à l'aide d'un fouet.

SI VOUS AJOUTEZ...

¾ tasse (190 ml) de quinoa cuit

= 130 calories

1 tasse (250 ml) d'épinards

= 7 calories

2 c. à thé (10 ml) de vinaigrette à la lime (voir recette ci-dessus)

= 48 calories

386 par portion

Une rage de chocolat ? Autorisez-vous un ou deux carrés de chocolat noir à 70 % de cacao. Ce petit plaisir vous aidera à diminuer ou à couper complètement vos envies de sucre.

LES
DESSERTS

Salade de fruits à la lime et au gingembre

QUANTITÉ › *1 portion* / **CALORIES** › *De 90 à 100 par portion*

INGRÉDIENTS

1   tasse (250 ml) de fruits frais (melon d'eau, kiwis, assortiment de fruits rouges)

1   c. à thé (5 ml) de miel

1   pincée de gingembre fraîchement râpé

Le jus d'une petite lime

PRÉPARATION

1. Combinez les fruits dans un bol de service de taille moyenne.

2. Dans un petit bol, fouettez le miel, le jus de lime, le gingembre et le miel. Versez le sirop obtenu sur les fruits et mélangez le tout délicatement.

MACARONS AUX AMANDES ET À LA NOIX DE COCO

QUANTITÉ › *16 portions* / **CALORIES** › *115 par portion*

INGRÉDIENTS

2/3	tasse (160 ml) de sucre
2	gros blancs d'œufs
1/2	tasse (125 ml) d'amandes entières

1 1/2	tasse (375 ml) de noix de coco non sucrée, râpée
1/2	c. à thé (2 ml) d'extrait d'amandes

PRÉPARATION

1. Préchauffez le four à 350 °F (180 °C). Tapissez deux plaques à biscuits de papier parchemin ou de feuilles de cuisson.

2. Fouettez le sucre et les blancs d'œufs jusqu'à ce que le mélange soit mousseux.

3. Passez les amandes au robot culinaire. Ajoutez-les avec la noix de coco râpée et l'extrait d'amandes au mélange de sucre et de blancs d'œufs.

4. Avec la pâte, formez 16 petites boules. Déposez-les sur les plaques à biscuits, en les espaçant de 2 po (5 cm). Faites cuire les macarons environ 15 minutes, jusqu'à ce qu'ils soient dorés à la base et sur les côtés. Laissez refroidir 5 minutes sur les plaques.

PAIN AUX BANANES

QUANTITÉ › *12 portions* / **CALORIES** › *128 par portion*

INGRÉDIENTS

	Un peu d'huile de cuisson en aérosol et un peu de farine pour le moule
3/4	tasse (180 ml) de farine tout usage
3/4	tasse (180 ml) de farine de blé entier
1	c. à thé (5 ml) de graines de lin
2	c. à thé (10 ml) de graines de tournesol
1/2	tasse (125 ml) de sucre
1	c. à thé (5 ml) de bicarbonate de soude

1	c. à thé (5 ml) de levure chimique (poudre à pâte)
1	c. à thé (5 ml) de sel
1	c. à soupe (15 ml) de vinaigre de cidre
1/3	tasse (80 ml) d'eau
1/3	tasse (80 ml) de compote de pommes
1 1/2	tasse (375 ml) de purée de bananes

PRÉPARATION

1. Préchauffez le four à 350 °F (180 °C).

2. Vaporisez un moule à pain avec un enduit antiadhésif et saupoudrez-le de farine.

3. Dans un grand bol, mélangez bien tous les ingrédients secs. Réservez.

4. Dans un autre bol, mélangez les ingrédients liquides. Ajoutez-les aux ingrédients secs et mélangez.

5. Versez dans le moule. Faites cuire de 55 à 65 minutes. Pour vérifier la cuisson, piquez un cure-dent dans le pain: s'il ressort sec du mélange, le pain est prêt. Laissez refroidir 5 à 10 minutes.

6. Démoulez à l'aide d'un couteau et laissez refroidir sur une grille.

GRATIN DE BAIES

QUANTITÉ › *8 portions* / **CALORIES** › *135 par portion*

INGRÉDIENTS

1/4	tasse (60 ml) de miel
2	c. à soupe (30 ml) de fécule de maïs
3	jaunes d'œufs
1/8	c. à thé (0,60 ml) de sel
1	tasse (250 ml) de lait 2 %
1	c. à thé (5 ml) d'extrait de vanille
3/4	tasse (180 ml) de yogourt grec 2 %
1	tasse (250 ml) de framboises
1	tasse (250 ml) de bleuets
1	tasse (250 ml) de fraises, coupées en quartiers
1	tasse (250 ml) de mûres
2	c. à soupe (30 ml) de sucre

PRÉPARATION

1. Dans un bol de taille moyenne, fouettez vigoureusement le miel, la fécule de maïs, les jaunes d'œufs et le sel.

2. Dans une petite casserole, chauffez à feu moyen le lait et la vanille, jusqu'à ce que le thermomètre indique 180 °F (80 °C), ou jusqu'à ce que de petites bulles se forment sur les parois de la casserole (attention de ne pas faire bouillir). Retirez du feu.

3. Ajoutez graduellement le lait chaud au mélange, en remuant constamment avec un fouet. Remettez cette préparation dans la casserole. Réchauffez à feu moyen-fort environ 2 minutes, jusqu'à l'obtention d'une texture plus épaisse, en remuant constamment. Retirez du feu et transvidez le liquide dans un bol.

4. Incorporez le yogourt. Couvrez et réfrigérez durant 1 heure.

5. Préchauffez le four à 350 °F (180 °C) et placez la grille au niveau le plus haut (environ à 3 po des éléments chauffants).

6. Répartissez les fruits dans 8 ramequins. À l'aide d'une cuillère, nappez les baies avec la sauce vanillée. Saupoudrez de sucre. Faites dorer de 1 à 2 minutes sous l'élément du four. Servez aussitôt.

Biscuits à l'avoine, aux raisins et aux noix

QUANTITÉ › *30 portions* / **CALORIES** › *88 par portion*

INGRÉDIENTS

1/3	tasse (80 ml) de farine tout usage
1/3	tasse (80 ml) de farine de blé entier
1 1/2	tasse (375 ml) de flocons d'avoine
1	c. à thé (5 ml) de bicarbonate de soude
1/2	c. à thé (2 ml) de sel
6	c. à soupe (90 ml) de margarine non hydrogénée

3/4	tasse (180 ml) de cassonade
1	c. à thé (5 ml) d'extrait de vanille
1	tasse (250 ml) de raisins secs
1/2	tasse (125 ml) de noix hachées
1	gros œuf, légèrement battu

PRÉPARATION

1. Préchauffez le four à 350 °F (180 °C). Tapissez deux plaques à biscuits de papier parchemin ou de feuilles de cuisson.

2. Combinez les 5 premiers ingrédients dans un grand bol et mélangez bien.

3. Dans une petite casserole, faites fondre à feu doux la margarine. Retirez du feu. Ajoutez la cassonade et la vanille. Mélangez jusqu'à l'obtention d'une texture lisse.

4. Ajoutez cette préparation au mélange de farines. Dans un robot culinaire, mélangez à vitesse moyenne jusqu'à l'obtention d'une texture homogène. Incorporez les raisins, les noix, l'œuf et mélangez.

5. Formez 30 petites boules de pâte à l'aide d'une cuillère. Disposez-les sur les plaques à biscuits, en les aplatissant et en les espaçant de 2 po (5 cm). Faites cuire 6 minutes.

6. Retirez les plaques du four. Aplatissez de nouveau légèrement les biscuits. Remettez au four et laissez cuire encore 6 minutes.

7. Sortez les biscuits du four et laissez-les refroidir quelques minutes, afin qu'ils se raffermissent un peu.

* Si vous ne désirez pas cuire tous les biscuits en une seule fois, vous pouvez congeler une partie de la pâte dans un sac de congélation hermétique.

Crème au citron et aux framboises

QUANTITÉ › *8 portions* / **CALORIES** › *150 par portion*

INGRÉDIENTS

1/3	tasse (80 ml) d'eau
1/3	tasse (80 ml) de sucre
1/4	tasse (60 ml) de miel
2	c. à soupe (30 ml) de fécule de maïs
1/8	c. à thé (0,60 ml) de sel
3	gros jaunes d'œufs
1	tasse (250 ml) de lait 2 %
3/4	tasse (180 ml) de yogourt grec 2 %
2	tasses (500 ml) de framboises
	Le zeste entier d'un citron

PRÉPARATION

1. Dans une petite casserole, amenez à ébullition l'eau et le sucre avec la moitié du zeste de citron. Faites cuire 1 minute, ou jusqu'à la dissolution complète du sucre, en remuant régulièrement. Retirez du feu et laissez refroidir 10 minutes.

2. Mélangez le miel, la fécule de maïs, le sel, le reste du zeste de citron et les jaunes d'œufs dans un cul-de-poule (bol en métal, en verre ou en plastique). Remuez avec un fouet.

3. Dans une petite casserole, chauffez à feu moyen le lait, jusqu'à ce que le thermomètre indique 180 °F (80 °C), ou jusqu'à ce que de petites bulles se forment sur les parois de la casserole (attention de ne pas faire bouillir).

4. Ajoutez graduellement le lait chaud au mélange d'œufs. Commencez par une petite quantité pour réchauffer les œufs, puis continuez, en remuant constamment avec le fouet.

5. Versez le mélange dans une casserole, chauffez-le à température moyenne jusqu'à l'obtention d'une texture plus épaisse avec des bulles (environ 2 minutes). Remuez constamment. Retirez du feu et versez le mélange dans un bol.

6. Incorporez le yogourt. Versez ¼ tasse (60 ml) du mélange dans 8 verres ou dans de petits bols. Couvrez et mettez au frais. Avant de servir, garnissez de framboises.

FRIANDISES GLACÉES AU MELON D'EAU ET À L'ORANGE

QUANTITÉ › *8 portions* / **CALORIES** › *82 par portion*

INGRÉDIENTS

ÉTAGE DE MELON D'EAU

1/4	tasse (60 ml) de sucre
1/4	tasse (60 ml) d'eau
2	tasses (500 ml) combles de cubes de melon d'eau épépiné

ÉTAGE D'ORANGE

3/8	tasse (90 ml) de sucre
1/2	tasse (125 ml) d'eau
1	c. à thé (5 ml) de jus de citron
1/3	tasse (80 ml) de jus d'orange frais

PRÉPARATION

ÉTAGE DE MELON D'EAU

1. Dans une petite casserole, amenez à feu moyen-fort le sucre et l'eau à ébullition. Chauffez 30 secondes et remuez jusqu'à la dissolution complète du sucre. Couvrez et laissez reposer 30 minutes.

2. Passez le melon d'eau au mélangeur, jusqu'à l'obtention d'une consistance lisse. Passez au tamis dans un bol, en utilisant le dos d'une cuillère pour extraire le jus. Jetez les restes encore solides. Couvrez et réfrigérez pendant 1 heure.

3. Remplissez les moules à friandises glacées d'environ 2 ½ c. à soupe (45 ml) du mélange de melon d'eau. Mettez-les au congélateur jusqu'à ce qu'ils soient bien pris.

ÉTAGE D'ORANGE

4. Dans une petite casserole, amenez à feu moyen-fort le sucre et l'eau à ébullition. Chauffez 30 secondes et remuez jusqu'à la dissolution complète du sucre.

5. Versez le liquide dans un bol. Mélangez avec le jus de citron et le jus d'orange. Laissez refroidir 15 minutes. Couvrez et réfrigérez pendant au moins 1 heure.

6. Sortez les moules du congélateur. Ajoutez environ 3 c. à soupe (45 ml) du mélange d'orange sur le melon d'eau déjà glacé. Remettez au congélateur pendant au moins 2 heures, ou jusqu'à ce que les friandises soient totalement gelées.

Yogourt à boire avec probiotiques, style Danone (93 ml)

QUANTITÉ › *1 portion*
CALORIES › *80 par portion*

MOUSSE AU CITRON GARNIE DE FRAISES

QUANTITÉ › *8 portions* / **CALORIES ›** *135 par portion*

INGRÉDIENTS

1/2	tasse (125 ml) d'eau froide
1	sachet de gélatine nature
1/2	tasse (125 ml) d'eau froide
3/4	tasse (180 ml) de sucre
2	c. à thé (10 ml) de zeste de citron
1/2	tasse (125 ml) de jus de citron
1	c. à soupe (15 ml) d'huile d'olive ultralégère
1	gros œuf
1 1/3	tasse (330 ml) de yogourt nature sans gras
2	tasses (500 ml) de fraises équeutées et coupées en grosses tranches

PRÉPARATION

1. Versez ¼ tasse (60 ml) d'eau dans un petit bol et saupoudrez de gélatine. Laissez reposer 5 minutes.

2. Dans une petite casserole, fouettez l'eau restante, le sucre, le zeste et le jus de citron, l'huile et l'œuf. Faites cuire à feu doux, en fouettant constamment, environ 5 minutes, ou jusqu'à ce que la préparation soit chaude.

3. Incorporez la gélatine. Faites cuire 1 minute, ou jusqu'à ce que la gélatine soit dissoute, en fouettant constamment. Retirez du feu. Versez dans un bol moyen et laissez refroidir à température ambiante, en mélangeant de temps à autre.

4. Incorporez le yogourt. Mélangez délicatement.

5. Répartissez le mélange dans 8 bols à dessert en alternant la mousse et les fraises. Réfrigérez environ 3 heures, ou jusqu'à ce que la préparation soit prise.

BOUCHÉES AUX AMANDES ET AU CHOCOLAT

QUANTITÉ › *30 portions*
CALORIES › *140 par portion*

INGRÉDIENTS

300 g de chocolat noir

1 1/2 tasse (375 ml) d'amandes entières

1 1/2 tasse (375 ml) de canneberges séchées

1 1/2 tasse (375 ml) de noix de coco non sucrée, râpée

PRÉPARATION

1. Tapissez une plaque à biscuits de papier parchemin ou d'une feuille de cuisson.

2. Commencez à faire fondre le chocolat à basse température, au bain-marie.

3. Versez 1 c. à thé (5 ml) de chocolat fondu sur le papier parchemin, déposez dessus 1 petite poignée d'amandes, puis recouvrez d'encore un peu de chocolat fondu. Répétez l'opération, jusqu'à ce que la plaque à biscuits soit pleine.

4. Garnissez chaque bouchée de 1 ou 2 canneberges séchées. Saupoudrez de noix de coco râpée.

5. Placez le tout au réfrigérateur environ 30 minutes, le temps que les bouchées refroidissent et se raffermissent.

Fondants au chocolat

QUANTITÉ › *10 portions* / **CALORIES** › *160 par portion*

INGRÉDIENTS

6	oz (170 g) de chocolat noir
1	c. à thé (5 ml) d'extrait de vanille
2	bananes suffisamment mûres
1/4	tasse (60 ml) de patate douce rôtie
1/4	tasse (60 ml) de miel
1	œuf
3	blancs d'œufs

PRÉPARATION

1. Préchauffez le four à 350 °F (180 °C).

2. Dans une casserole de taille moyenne, faites bouillir de l'eau. Placez 8 ramequins dans une rôtissoire.

3. Entre-temps, faites fondre complètement le chocolat avec la vanille dans un bain-marie.

4. Écrasez les bananes et la patate douce avec le miel pour en faire une purée lisse. Ajoutez l'œuf et mélangez.

5. Retirez le chocolat du feu. Ajoutez-le à la purée et mélangez bien.

6. Dans un autre bol, montez les blancs d'œufs en neige, jusqu'à ce qu'ils forment des pics. Ajoutez délicatement les blancs d'œufs au mélange précédent. Répartissez cette préparation dans les ramequins, jusqu'à ce qu'ils soient presque pleins.

7. Versez l'eau bouillante dans la rôtissoire jusqu'à mi-hauteur des ramequins. Faites cuire environ 15 minutes et servez aussitôt. Les fondants doivent être mous et tièdes au centre.

Bouchées de bananes glacées

QUANTITÉ › *4 portions* / **CALORIES** › *166 par portion*

INGRÉDIENTS

5   grosses bananes suffisamment mûres

1   c. à soupe (15 ml) de beurre
        d'arachides naturel

2   oz (60 g) de yogourt nature sans gras

1/2 c. à thé (2 ml) d'extrait de
        vanille (optionnel)

PRÉPARATION

1. Écrasez et mélangez une banane avec le beurre d'arachides, le yogourt et la vanille. Réservez.

2. Pelez les autres bananes. Coupez-les en tranches épaisses d'environ 0,5 po (1,5 cm). Étalez le mélange de bananes sur la moitié des tranches. Recouvrez ensuite avec l'autre moitié des tranches, pour faire comme des sandwichs.

3. Déposez le tout dans une assiette et mettez au congélateur pendant 2 heures, ou jusqu'à ce que les bouchées soient congelées.

PÊCHES À LA RICOTTA ET AUX AMANDES GRILLÉES

QUANTITÉ › *1 portion*
CALORIES › *145 par portion*

INGRÉDIENTS

2	c. à soupe (30 ml) de ricotta allégée
1/2	tasse (125 ml) de pêches tranchées, fraîches ou congelées
1/4	tasse (60 ml) de bleuets frais ou congelés
1	c. à soupe (15 ml) d'amandes émincées grillées

PRÉPARATION

1. Versez la ricotta dans un bol de service.

2. Passez les pêches de 1 à 2 minutes au four à micro-ondes jusqu'à ce qu'elles soient chaudes. Combinez délicatement les bleuets avec les pêches.

3. Ajoutez les fruits à la ricotta. Garnissez d'amandes grillées.

BESOIN D'UN GOÛT PLUS RELEVÉ?
Ajoutez 1 à 2 c. à thé (5 à 10 ml) d'édulcorant Splenda à la ricotta lors de la préparation.

FUDGE GLACÉ AUX AMANDES ET AUX FRAISES

QUANTITÉ › *6 portions* / **CALORIES** › *90 par portion*

INGRÉDIENTS

1   tasse (250 ml) de lait d'amandes au chocolat

1   banane suffisamment mûre

1/4   tasse (60 ml) d'amandes émincées

8   fraises, coupées en tranches

PRÉPARATION

1. Dans un robot culinaire, mélangez le lait d'amandes avec la banane, jusqu'à l'obtention d'une texture lisse. Remplissez aux trois quarts 6 moules à friandises glacées avec ce mélange.

2. Ajoutez 1 c. à thé (5 ml) d'amandes émincées et quelques tranches de fraises dans chaque moule. Recouvrez du reste du mélange. Placez les bâtons dans les moules. Congelez plusieurs heures.

Tiramisu aux petits fruits

QUANTITÉ › *4 portions* / **CALORIES** › *225 par portion*

INGRÉDIENTS

8	doigts de dame
1	tasse (250 ml) de framboises congelées
2	c. à soupe (30 ml) d'eau
1	c. à soupe (15 ml) de sucre
1	tasse (250 ml) de crème pâtissière (costarde) faible en gras
1/2	tasse (125 ml) de framboises
1/2	tasse (125 ml) de bleuets
1/2	tasse (125 ml) de fraises, coupées en quartiers
1/2	tasse (125 ml) de mûres
2	c. à soupe (30 ml) de copeaux de chocolat noir

PRÉPARATION

1. Dans un plat rectangulaire de taille moyenne, alignez 4 doigts de dame par rangée, le côté plat vers le fond.

2. Dans une petite casserole, faites mijoter les framboises congelées, l'eau et le sucre pendant 5 minutes, jusqu'à ce que les framboises s'écrasent et que le sucre ait fondu. Retirez du feu et laissez refroidir environ 30 minutes.

3. Passez le mélange de framboises dans une passoire ou au tamis, pour obtenir un coulis. Étendez sur les biscuits la moitié du coulis, puis la moitié de la crème pâtissière. Répartissez la moitié des fruits sur la crème et versez ensuite le reste du coulis. Ajoutez un étage de 4 biscuits, puis le reste de la crème pâtissière et des fruits.

4. Garnissez de copeaux de chocolat. Pour des portions individuelles, coupez les doigts de dame en deux et disposez-les dans de petits bols.

Coupes choco-framboises délicieuses

QUANTITÉ › *12 portions* / **CALORIES** › *100 par portion*

INGRÉDIENTS

3 1/2   oz (100 g) de chocolat noir à 70 %

1 1/2   tasse (375 ml) de céréales granola aux fruits et aux noix, faibles en gras

12   framboises

1   c. à thé (5 ml) de sucre glace

PRÉPARATION

1. Faites fondre le chocolat au bain-marie, en remuant constamment.
Une fois fondu, retirez-le du bain-marie.

2. Ajoutez les céréales granola au chocolat et mélangez.

3. Vaporisez un moule à muffins d'huile à cuisson en aérosol.

4. Répartissez le mélange dans le moule à muffins. Déposez une framboise
sur chacune des portions. Réfrigérez pendant 1 heure.

5. Saupoudrez de sucre glace au moment de servir.

Collez sur votre frigo, ou sur votre armoire où sont rangées les chips, des phrases ou des photos pour vous inspirer. Un bon truc qui vous aidera à ne pas consommer inutilement!

CHAPITRE 7

DES PARTICIPANTS DU PARCOURS SE CONFIENT

MARIE-ÈVE GOUDREAU
Réussir et être fière de soi

Le 13 juillet 2013 restera à jamais gravé dans la mémoire de Marie-Ève Goudreau, journaliste. Non seulement s'est-elle mariée ce jour-là, mais elle a réussi une chose qu'elle croyait impossible : oublier totalement ses complexes et se trouver belle !

DE BONNES RAISONS POUR CHANGER

Avant que Marie-Ève n'amorce son processus de perte de poids, la balance affichait 249,2 lb (134 kg). Son indice de masse corporelle la classait parmi les obèses morbides. Dans les boutiques de robes de mariées, les conseillères lui présentaient un choix très limité de modèles. En outre, son médecin venait de lui apprendre que son mauvais cholestérol était trop élevé. La jeune femme s'est alors perçue elle-même comme un monstre.

Pourtant, dès l'âge de 11 ans, Marie-Ève a commencé à suivre des régimes ; certains lui ont permis de se libérer de 50 lb. Le hic, c'est qu'elle finissait toujours par reprendre le poids perdu. Pourquoi allait-elle réussir à maigrir en participant à une émission de télévision ? pourrait-on se demander. « Je n'avais tout simplement pas le choix. Il n'était pas question que je me marie en ne me trouvant pas belle, confie Marie-Ève. Personne n'est censé se marier dans un tel état d'esprit ! »

POURQUOI CHOISIR L'ÉCHEC PLUTÔT QUE LE SUCCÈS ?

Au début de son aventure au *Parcours*, la participante a vécu un moment déterminant. Une simple séance d'entraînement sur le tapis roulant avec Jimmy Sévigny lui a fait réaliser qu'elle était la seule personne à s'imposer des limites. Elle avait le pouvoir de décider de les dépasser. Marie-Ève ayant compris cela, il n'y avait plus rien pour l'arrêter. La jeune femme se rendait au gym chaque jour. « En plus du pro-

Crédit : Kangoo Club Québec

gramme intense d'une heure proposé par mon entraîneur, je faisais une heure de tapis roulant, puis je suivais quelques cours en groupe, comme des séances de zumba, de *spinning* et de cardio militaire. J'ai aussi découvert le Kangoo Jumps, une méthode amusante pour brûler un maximum de calories ! » Afin d'optimiser son énergie, Marie-Ève mangeait souvent des collations saines. Elle s'assurait également d'intégrer des

mon mariage, je voulais tellement maigrir que c'est l'inverse qui se produisait. Je tenais tant à atteindre mon objectif ! Lorsque je me suis dit que je m'en demandais trop, j'ai lâché prise en me félicitant pour tout ce que j'avais accompli jusque-là. Ironiquement, c'est à ce moment que mon poids s'est remis à descendre», poursuit la journaliste.

BELLE ET BIEN DANS SA PEAU

Sa persévérance a porté ses fruits. Le jour où elle a uni sa destinée à celle de son amoureux, Marie-Ève resplendissait. Aujourd'hui, la nouvelle mariée a plus d'énergie et est plus positive. « Au-delà des livres perdues, l'enfer de me percevoir comme un monstre demeure le plus gros poids qui m'a été enlevé. Je redécouvre maintenant le magasinage et je ne pleure plus dans les cabines d'essayage ; j'en sors avec fierté. Je porte des robes, des jupes et des camisoles alors qu'avant, je faisais tout pour me cacher. J'ai également repoussé mes limites durant mon voyage de noces en osant porter un bikini. J'en ai fait, du chemin ! »

protéines à chaque repas et d'avoir toujours en réserve des légumes congelés, pour n'être jamais à court de ces aliments vitaminés.

À CHACUN SON RYTHME !

Malgré tous les efforts que Marie-Ève déployait, les résultats n'étaient pas toujours probants. En raison de l'effet yoyo des régimes qu'elle avait adoptés par le passé, elle avait déstabilisé son métabolisme plus d'une fois. Pendant sa perte de poids, la candidate a atteint plusieurs fois un plateau. « J'étais découragée ! Même si je variais mes programmes d'entraînement et modifiais mon alimentation, rien ne se passait. Je n'ai eu d'autre choix que de respecter mon corps et de lui laisser le temps de s'adapter. »

Pendant cette période, Marie-Ève a réalisé qu'elle devait cesser de se comparer aux autres et se concentrer sur elle-même. Ce changement d'attitude lui a finalement permis de recommencer à perdre des kilos. « Les derniers mois avant

DANS LE RÉFRIGÉRATEUR DE MARIE-ÈVE

> Du yogourt grec à 0 % de matières grasses
> Des fruits et des légumes, frais et congelés
> Des crevettes

SON DÉJEUNER

Un œuf à la coque, coupé en tranches, et le blanc d'un autre sur une rôtie de blé entier, avec un thé vert.

SES TRUCS

> Il y a toujours un bol d'œufs durs dans le frigo.
> Les pâtes ont été remplacées par une courge spaghetti ou par les nouilles de soya Shirataki (40 calories par portion). On trouve celles-ci dans le même rayon que le tofu au supermarché.

MARC LAFLEUR

Un travail d'équipe...
et de couple !

Pour Marc Lafleur, il était impensable de se lancer seul dans un processus de perte de poids. Ce père de quatre jeunes enfants a fait équipe avec sa conjointe, Marie-Claude, pour atteindre son objectif. Superpapa ? Absolument !

Depuis Le Parcours, les légumes occupent une place encore plus importante qu'avant dans l'assiette des Lafleur. « Il y a des portions de légumes à chaque repas. Ainsi, les enfants s'habituent à en manger. »

Derrière le grand comique se cachait un homme qui se sentait différent et qui ne cherchait, par ses blagues, qu'à se faire accepter des autres. Un geste banal, par exemple attacher ses souliers, était ardu et le gênait. Ses mauvaises habitudes l'ont conduit à peser 275 lb (124 kg). « Je n'arrivais plus à suivre mes garçons. J'ai eu la honte de ma vie dans une balançoire de La Ronde, c'était trop étroit pour moi. Ça a blessé mon orgueil ! » avoue Marc.

LE GYM ET LA NATURE POUR GARDER LA FORME

« Je ne suis pas un gars de gym. Bien entendu, je le fréquente l'hiver afin de me maintenir en forme. En mai, dès que la température le permet, je vais dehors. Je me suis fait mon propre circuit en pleine nature, dans un parc près de chez moi. De cinq à sept fois par semaine, j'effectue une heure d'entraînement par intervalles en alternant marche rapide et jogging. Ensuite, je m'arrête près d'un banc pour faire des redressements assis. Plus loin, j'arrête pour faire des pompes. C'est fou comme mes genoux me font moins mal depuis que j'ai maigri ! »

S'entraîner n'est pourtant pas toujours évident, surtout lorsque vient le temps d'expliquer aux enfants que papa doit quitter la maison. « J'attends que les enfants soient endormis avant de sortir, mais, parfois, l'un d'eux est encore éveillé et me demande : "Papa, pourquoi pars-tu ?" Je dis que papa va perdre sa bedaine. Ils sont encore trop petits pour comprendre, mais un jour, ils seront reconnaissants d'avoir un père en santé. C'est ce à quoi je m'accroche pour rester motivé. »

TRANSMETTRE DE SAINES HABITUDES

Depuis *Le Parcours*, les légumes occupent une place encore plus importante qu'avant dans l'assiette des Lafleur. « Il y a des portions de légumes à chaque repas. Ainsi, les enfants s'habituent à en manger. »

L'un des conseils que Marc a retenus de son passage à l'émission, c'est le fait qu'il faut manger pour maigrir. Il en a d'ailleurs fait l'expérience. « Alors que j'avais atteint un plateau, j'ai tenté de ne manger quasiment rien, et ça n'a rien changé. J'ai simplement laissé faire le temps, puis, la semaine suivante, le pèse-personne affichait un poids à la baisse. »

LE SOUTIEN DE SON AMOUREUSE

Marc l'admet : s'il n'avait pas eu Marie-Claude, il aurait probablement baissé les bras en cours de route. « Il est important de s'entourer des bonnes personnes. Ma compagne a été un facteur gagnant pour moi. J'ai appris, au fil du temps, à me motiver moi-même, mais je n'en serais pas là aujourd'hui sans elle. »

Quant à retrouver son ancienne vie, c'est hors de question pour lui ! Marc se sent prêt à tout afin de maintenir son poids. « Une route a un "boutte". Un chemin a une fin. Mais un parcours, c'est pour toujours. »

ISABELLE LACOMBE

Au pas de course !

Isabelle Lacombe a appris une chose à l'émission *Le Parcours* : il faut du carburant si on veut aller loin. Il n'est donc pas étonnant qu'elle ait franchi plus de 1000 km à la course en quelques mois seulement. Plus en forme que jamais, la sportive cumule les courses de 5, de 10 et de 21 km. Bien qu'elle ait toujours été rondelette, cela ne l'a jamais empêchée d'être active. En 2009, une blessure l'a toutefois contrainte à tout arrêter. Résultat : une prise de poids de 65 lb (29 kg) qui l'a amenée à cesser de bouger petit à petit. « Il n'était pas question de me faire prendre en photo. Je ne m'aimais plus, mon estime était au plus bas. »

Où trouvait-elle l'énergie pour en faire autant ? « Ça prend du carburant ! On croit à tort qu'il faut crever de faim pour perdre des kilos. C'est faux. Si tu ne manges pas assez, ton corps n'aura pas d'énergie. »

DEUX MODÈLES INSPIRANTS

Toutefois, c'est une femme déterminée qui s'est attaquée au défi du Parcours. Pour elle, maigrir s'est même révélé facile. « J'ai fait ma chance. Chaque semaine, je visualisais que je perdais du poids et, surtout, je travaillais fort pour y arriver. » Sa rencontre avec le boxeur Jean Pascal, dont le secret réside dans le travail, la discipline et la persévérance, l'a d'ailleurs fortement inspirée. « J'ai suivi son exemple. J'ai maintenu une discipline d'enfer, tant sur le plan de l'entraînement que sur celui de l'alimentation. »

Sa rencontre avec Sylvie Fréchette a également joué un grand rôle dans la discipline qu'elle s'est imposée. « J'ai appris à lâcher prise dans les situations que je ne maîtrisais pas et à me donner à 100 % dans celles que je contrôlais. Dans mon processus pour maigrir, c'est moi, et moi seule, qui prenais les décisions quant à mon entraînement et à mon alimentation. »

COMMENT MAINTENIR LA CADENCE ?

Où trouvait-elle l'énergie pour en faire autant ? « Ça prend du carburant ! On croit à tort qu'il faut crever de faim pour perdre des kilos. C'est faux. Si tu ne manges pas assez, ton corps n'aura pas d'énergie. Pour ma part, si je voulais m'entraîner trois fois par jour, je devais bien me nourrir et ne pas sauter de repas. Je visais la variété, je m'assurais d'intégrer des protéines à chaque repas et je portais une attention particulière aux portions. Cette discipline me vaut aujourd'hui d'être musclée et d'avoir une belle peau. » Pour Isabelle, c'est un jour à la fois. C'est d'ailleurs ce qu'elle se répétait pendant l'aventure : « Un repas à la fois, un entraînement à la fois, un jour à la fois. Le plus important est de se faire confiance. »

SON SOUPER
Du poisson (3 ou 4 fois par semaine), des fruits de mer ou du poulet en guise de protéines, et des légumes cuits en papillote.

SES TRUCS
> Elle garde toujours des poitrines de poulet au congélateur, pour se dépanner.
> Du hoummos avec des biscottes constitue également un repas facile lorsqu'elle doit en préparer un rapidement.

MAXIME VARIN

Les choix gagnants

Acquérir de la confiance en soi, retrouver une énergie incroyable, se découvrir d'autres passions... Faire les bons choix peut vous rapporter gros. Maxime Varin en a long à dire sur le sujet ! C'est lors du souper à Québec au cours duquel Jimmy Sévigny a raconté son histoire que le jeune homme a réalisé sa chance. Il était jeune et ne souffrait d'aucune maladie. Il devait donc agir avant qu'il ne soit trop tard !

UNE PRISE DE CONSCIENCE SALVATRICE

Maxime, qui est dans la jeune vingtaine, a pris conscience qu'il ne pouvait pas continuer dans la voie, néfaste pour sa santé, qu'il avait empruntée. « Ma vie se résumait aux excès. J'étais incapable de me contenter d'une seule bière ou d'un seul morceau de gâteau, il fallait que j'en prenne trois ou quatre. »

Ses habitudes alimentaires malsaines, le jeune homme en payait le prix. « Je manquais d'énergie dans la journée. Au travail, je buvais des cannettes de boissons énergisantes pour rester éveillé. Je devais dormir pendant ma pause de dîner et faire une sieste après le souper avant d'aller au lit vers 20 h. Je n'étais plus capable de fonctionner normalement, il fallait que je me repose constamment. »

ADOPTER UNE DISCIPLINE DE FER !

C'est son cardiofréquencemètre qui lui a indiqué à quel point il aurait à travailler fort pour brûler ses calories. En plus de contrôler ses portions, le participant a appris à faire les bons choix. Il a ainsi intégré fruits, légumes et protéines maigres dans son menu et a supprimé les sauces.

Désireux de réussir son défi, Maxime s'est imposé une discipline de fer. « Je m'arrangeais pour éviter les *partys*, histoire de ne pas succomber. Mes amis étaient les premiers à m'appeler pour aller marcher en montagne en raquettes, courir ou nager. Tout le monde a embarqué, c'était très motivant ! »

Chaque fois qu'il avait un moment libre, il s'entraînait ! Musculation, tapis roulant et *spinning* figuraient parmi les activités qu'il pratiquait chaque jour.

Afin de garder le cap dans les moments plus difficiles, Maxime se rappelait les encouragements de son père. Un trait de caractère familial lui a d'ailleurs été extrêmement utile tout au long de sa perte de poids. « Avoir une tête de cochon a été payant. Quand j'étais épuisé, je ne me trouvais pas d'excuses. J'allais m'entraîner quand même. C'est ce qui fait que j'ai perdu 50 % de mon poids. Pour avoir des résultats, il ne faut pas ménager ses efforts. »

UN DÉFI EN ENTRAÎNE UN AUTRE...

Maxime continue de dépenser son énergie quotidiennement en variant ses activités. « Je me suis fixé un but pour l'an prochain : courir au moins deux demi-marathons. Puis, d'ici trois ou quatre ans, j'aimerais participer à un demi-Ironman. » Prêt à se lancer le défi d'un tel parcours combinant nage, course et vélo, Maxime peut affirmer qu'il a choisi la victoire !

S'il doit subir aujourd'hui des chirurgies, il ne le regrette aucunement ! « Je préfère de loin avoir quelques cicatrices sur le corps comme conséquence de ma perte de poids plutôt qu'une cicatrice sur le thorax des suites d'une opération à cœur ouvert. »

SON DÉJEUNER

Un œuf, accompagné de deux ou trois tranches de viande froide (jambon blanc ou poitrine de dinde) sur une tranche de pain sans beurre, et un fruit.

SES TRUCS

> Des fèves germées remplacent les pâtes de son spaghetti.

> Il opte pour une barre tendre de 100 calories plutôt que pour une tablette de chocolat.

« Je m'arrangeais pour éviter les partys, histoire de ne pas succomber. Mes amis étaient les premiers à m'appeler pour aller marcher en montagne en raquettes, courir ou nager. Tout le monde a embarqué, c'était très motivant ! »

CYNTHIA TREMBLAY

Se prendre en main

Partir dans l'Ouest pour apprendre l'anglais et devenir mince : tels étaient les deux plus grands rêves de Cynthia Tremblay. À la fin de ses études, elle aurait eu l'occasion de réaliser le premier, car elle avait décroché un emploi dans cette partie du pays. Le sort en a décidé autrement. Une semaine avant de s'envoler, elle apprenait que sa demande de chirurgie bariatrique, déposée cinq ans auparavant, venait d'être approuvée. La jeune femme a donc renoncé à son rêve d'apprendre une seconde langue, au profit de celui de perdre ses kilos en trop. Toutefois, une autre surprise l'attendait.

AVOIR LA FORCE DE SE RELEVER

Deux semaines avant de subir l'opération, elle a vu la publicité pour *Le Parcours* et a décidé de tenter le tout pour le tout. Elle a donc annulé son rendez-vous à l'hôpital, s'est inscrite à l'émission et s'est taillé une place parmi les 12 finalistes. Son monde s'est cependant écroulé lorsqu'elle a été éliminée deux jours après le début de l'aventure. Dur coup pour la jeune femme qui avait abandonné deux projets pour participer à l'émission. « Les semaines qui ont suivi ont été très difficiles, car je voyais tous mes rêves partir en fumée. » Elle a néanmoins puisé en elle la force de modifier le cours des choses. « J'ai décidé de foncer. Quand je veux quelque chose, j'agis en conséquence pour l'obtenir ! »

LES INCONTOURNABLES SUR SA LISTE D'ÉPICERIE
> Le gruau
> Les cornichons
> La moutarde

SON SOUPER
Une soupe-repas ou une assiette de poulet

SON TRUC
> Elle remplace le jus par de l'eau.

LA VOLONTÉ DE CHANGER

« Durant un processus de perte de poids, il est capital de s'entourer des bons éléments. Pour ma part, j'ai analysé mon mode de vie et il fallait que je fasse équipe avec des personnes qui allaient pouvoir m'aider. J'ai emménagé chez ma mère, car elle pouvait me conseiller sur le plan alimentaire. J'ai également commencé à m'entraîner avec une amie, qui m'a soutenue tout au long de ma perte de poids. »

Même si elle ne s'était jamais entraînée auparavant, Cynthia était déterminée à changer son mode de vie. Le centre de conditionnement physique est devenu un lieu familier. De plus, celle qui était habituée à se balader sur son cheval courait dorénavant à côté de son fidèle compagnon sur la piste cyclable.

Grâce à ses nouvelles habitudes, les résultats se révélaient satisfaisants. Et lorsque son poids semblait stagner, Cynthia ne se décourageait pas pour autant. « Je profitais des plateaux pour faire une pause et regarder ce qui se passait autour de moi. Je me concentrais sur le positif. »

LA NOUVELLE CYNTHIA

Cynthia est aujourd'hui une nouvelle femme, pleine de confiance. Encore désarçonnée par l'attention que lui porte maintenant la gent masculine, elle se découvre une féminité qu'elle ne croyait pas posséder.

« Il n'est jamais trop tard pour prendre sa vie en main et quand tu le fais, tu peux enfin savourer chaque moment. Avec l'énergie que j'ai retrouvée, je veux faire tout ce que je n'ai jamais pu faire jusqu'à présent. Je veux profiter de la vie, tout simplement. »

SYLVAIN LAPOINTE

La pensée positive comme moteur

Le poids de Sylvain Lapointe constituait pour lui la source de nombreuses frustrations qui l'ont conduit à faire une dépression et à développer des pensées suicidaires au cours des années. Malgré tout, c'est avec optimisme que le participant a entamé son parcours. « Las d'être l'ombre de moi-même, j'ai décidé que ce serait par mes efforts que j'illuminerais ma vie. » Cette pensée de Sylvain a donné le ton à ce qui allait se révéler toute une aventure !

Propriétaire d'une boucherie depuis 2006, Sylvain pouvait aisément combler ses tentations alimentaires. Non seulement était-il un grand amateur de charcuteries, mais il se coupait des pièces de viande très épaisses. « J'avais engraissé de 100 lb (45kg) depuis que j'avais mon commerce. »

« Lorsqu'on m'a appris que je faisais de l'hypertension, la réalité m'a rattrapé, poursuit-il. Je savais qu'il était temps d'agir et j'ai commencé à faire plus attention. À ce moment-là, j'ai choisi de vivre ma vie au lieu de la subir. »

UNE MÉTHODE QUI MARCHE !

Pour un résultat concret et permanent, Sylvain a décidé de miser sur des facteurs gagnants, comme la méthode **SNACK** :

S : SPORT

N : NUTRITION

A : ATTITUDE

C : CONTINUITÉ

K : « KICK » TON DERRIÈRE !

Pour se mettre en forme, Sylvain se rendait au gym à raison de trois fois par semaine. Les autres jours, il marchait sur de longues distances.

Sur le plan alimentaire, Sylvain a fait de meilleurs choix. « Je cuisine maintenant avec moins de beurre, je consomme moins de pâtes et, surtout, j'ai modifié les portions. Auparavant, je mangeais un steak de la grosseur de mon assiette et une salade de celle d'une tasse. Maintenant, c'est l'inverse. »

SAUTER EN PARACHUTE AU BOUT DU PARCOURS

Aujourd'hui, Sylvain assure la continuité de ses nouvelles habitudes de vie. Il parcourt chaque semaine de nombreux kilomètres en faisant de la marche rapide. Il a également intégré le vélo à son entraînement. « Dernièrement, j'ai fait un saut en parachute en tandem, d'une hauteur de 13 800 pieds. Dire que j'avais mis une croix là-dessus à cause de mon poids... Avoir la possibilité de vivre ça, c'est un *feeling* extraordinaire ! »

DANS LA CUISINE DE SYLVAIN

> Des amandes et des pacanes
> Des œufs

SON SOUPER

Du poisson ou des fruits de mer accompagnés de légumes en papillote, des moules à l'italienne (sauce tomate, oignon, piments, ail et jus de palourdes) ou encore, un plat à saveur asiatique.

SA COLLATION

Des pacanes et une pomme

SES TRUCS

> Remplacer le riz par du quinoa.
> Le jell-O, souvent mélangé à du yogourt grec pour en faire un pouding, a pris la place des desserts en tous genres.

CAROLYN MURPHY

Jusqu'au bout !

Le passé est le passé, et ce n'est pas parce que Carolyn Murphy avait souvent déclaré forfait que l'histoire allait se répéter. Défis, épreuves, doutes... elle s'était engagée à tout affronter. « J'ai toujours eu des idées géniales en tête mais, en raison du train-train quotidien, je finissais par les mettre de côté et les oublier. »

Nombreuses ont été les fois où Carolyn aurait tout abandonné, mais elle avait conclu un pacte avec elle-même, ce qui l'a motivée à persévérer malgré les épreuves. « Ma tête me disait souvent d'arrêter alors que mon corps pouvait continuer. Au fond, les seules barrières qui se dressaient devant moi étaient celles que je me créais dans ma tête. »

UNE VIE SAINE

Celle qui a enseigné l'aérobique par le passé s'est remise au sport, en choisissant des activités qui lui plaisaient. « L'important pour moi était de varier mes entraînements et, surtout, de faire ce que j'aimais. » Carolyn a aussi modifié son régime alimentaire. En plus de réduire la quantité de produits laitiers

SON DÉJEUNER
Un œuf à la coque et le blanc d'un autre œuf sur une demi-tranche de pain, avec un café noir.

SON SOUPER
Des protéines, souvent sous forme de poulet, avec des légumes et une salade (tantôt une laitue romaine, tantôt des épinards, avec du jus de citron, une réduction de vinaigre balsamique ou une vinaigrette faible en gras).

SA COLLATION
Un fruit avec des noix ou du yogourt grec sans gras.

SES TRUCS
> Les croustilles ont été délaissées au profit d'aliments tout aussi croquants... les légumes crus !
> L'eau citronnée et l'eau pétillante ont remplacé le vin.
> Elle mange un carré de chocolat noir ou une tasse de maïs soufflé plutôt qu'une gourmandise.

et de viande rouge, elle a rempli son réfrigérateur de fruits et de légumes, de poulet, de poissons et de fruits de mer.

POURQUOI NE PAS IMPLIQUER LA FAMILLE ?

Il n'était toutefois pas question pour la participante de mettre sa famille à l'écart de sa démarche. Sa solution ? L'impliquer autant que possible. « Mon mari ne pouvait pas se plaindre qu'on ne se voyait pas, car on allait courir ensemble. Ma fille ne pouvait s'ennuyer de moi, car je l'invitais à faire du vélo à côté de moi. »

Aujourd'hui, Carolyn sourit à la vie. « J'ai retrouvé ma joie de vivre, mon cœur d'enfant, les bonheurs de la vie. J'ai mis en place les projets dont je parlais depuis longtemps. Dans ce que je commence, maintenant je vais jusqu'au bout. »

Robert, Amélie, Martin et Lucie

Les trucs des participants du début à la fin

Si les raisons qui les ont amenés à devenir obèses diffèrent, Robert, Amélie, Martin et Lucie étaient tous animés par la même volonté : changer leur vie. Ils nous parlent de leur parcours, de leurs hauts et de leurs bas ainsi que de leurs trucs.

COMMENT EN ÊTES-VOUS ARRIVÉS AU POIDS QUE VOUS AVIEZ AVANT L'ENTRAÎNEMENT ?

ROBERT POIRIER : J'ai pris beaucoup de poids à la suite de mes opérations au dos, puis j'ai continué d'engraisser, car je mangeais ce que je voulais, quand je voulais.

AMÉLIE BERTRAND-ÉTHIER : Moi aussi, je mangeais tout ce qui me faisait envie.

MARTIN FAUCHER : Comme je manquais de temps pour préparer des repas, je choisissais l'option facile et rapide: les restaurants.

LUCIE BERTHELOTTE : Je suis entrée dans ce que j'appelle une routine mortelle. Chaque année, j'engraissais de 10 à 15 lb (de 4,5 kg à presque 7 kg). Je ne me pesais pas et ne me regardais pas dans le miroir. Plus j'engraissais, plus je jouais à la victime, et plus je déprimais, plus je mangeais mes émotions.

COMMENT ÉTAIT VOTRE FORME PHYSIQUE ?

R.P. : J'avais toujours mal au dos. Quand je jouais au hockey, je marchais presque à quatre pattes le lendemain. En plus, je faisais de la haute pression et mon taux de mauvais cholestérol était à la limite d'être trop élevé.

A.B.-É. : Je faisais un peu de haute pression et j'étais constamment essoufflée.

M.F. : Horrible ! J'étais obligé de demander à mes employés de monter dans le camion à ma place pour aller chercher des outils. En plus, je faisais du cholestérol et de la haute pression.

L.B. : Je devais me piquer régulièrement avec une machine afin de vérifier mon taux de sucre. J'en avais une autre pour la pression. J'avais toujours mal à la tête, j'étais essoufflée. Je n'étais plus capable d'exécuter certains gestes banals, comme celui d'enfiler mes bas.

Robert   Amélie

QU'AVEZ-VOUS APPRIS DE PLUS IMPORTANT DURANT VOTRE ENTRAÎNEMENT ?

A.B.-É. : Pour ma part, j'ai réalisé que j'étais la seule à avoir une incidence sur ma vie. Les choix que je faisais avaient donc un gros impact.

L.B. : Prendre du temps pour moi, car avant d'être une mère et une épouse, je suis une femme. Et pour ça, j'ai dû apprendre à dire non.

LORSQUE VOUS ATTEIGNIEZ UN PLATEAU, QUE FAISIEZ-VOUS POUR CONTINUER À PERDRE DU POIDS ?

A.B.-É. : Je diminuais encore plus la quantité de glucides (riz, pâtes, patates, alcool) que je consommais.

L.B. : Afin d'éviter les plateaux, je changeais ma routine d'entraînement tous les 21 jours.

Martin   Lucie

QUEL CONSEIL SUR L'ALIMENTATION VOUS A ÉTÉ LE PLUS UTILE ?

R.P. : Ne pas sauter de repas !

A.B.-É. : Pour moi, ça ne doit pas être compliqué, sinon j'abandonne.

M.F. : Choisir ce qui est payant, donc ce qui soutient longtemps.

L.B. : Être organisée. Je planifie tous les repas de la semaine avant d'aller faire l'épicerie.

AVEZ-VOUS UNE RECETTE SANTÉ COUP DE CŒUR ?

R.P. : Mon saumon à l'aneth. Pour la marinade, il faut 1 demi-tasse de jus de citron, 4 cuillères à soupe d'aneth frais, 4 cuillères à soupe d'huile d'olive, 4 cuillères à soupe de moutarde de Dijon et du poivre. Une fois tous les ingrédients mélangés, il faut faire mariner le saumon quelques heures, puis le cuire au four.

M.F. : La soupe de Shrek, très populaire auprès des enfants! Je fais revenir du céleri et de l'oignon dans un peu d'huile d'olive. J'ajoute du bouillon de poulet, des pommes de terre ou des pois chiches, et je fais mijoter le tout jusqu'à ce que ce soit cuit. Avant de passer la soupe au mélangeur, j'ajoute des épinards. Une fois que tout est bien mélangé, je poivre un peu.

L.B. : Ma soupe aux légumes. Pour la préparer, j'ai besoin de bouillon de poulet faible en gras et d'une tonne de légumes. Je prends tout ce qui reste dans mon frigo : oignon, céleri, carottes, fèves jaunes et vertes, chou… J'ajoute ensuite du poivre, des herbes (persil frais et feuilles de laurier), de l'orge et du poulet déjà cuit avec du paprika et du persil. Je mets le tout dans la mijoteuse, et ma soupe cuit pendant la journée.

Jimmy Sévigny
et Chantal Lacroix